Jocelyne

La Cage

Données de catalogage avant publication (Canada)

Martin-Laval, Henri, 1946-
La cage
ISBN 2-89111-557-0
1. Enfants maltraités — Québec (Province) — Cas, Études de.
2. Enfants maltraités, Services aux — Québec (Province) —
Cas, Études de.   3. Jeunesse — Protection, assistance, etc. —
Québec (Province) — Cas, Études de.   4. Hôpitaux psychiatriques —
Québec (Province) — Soins.   I. Titre.
HV745.Q8M37 1992   362.7'6'09714   C92-097056-7

Illustration de la couverture:

GILLES ARCHAMBAULT

Maquette de la couverture:

FRANCE LAFOND

Photocomposition et mise en pages:

Composition Monika, Québec

© Éditions Libre Expression
2016, rue St-Hubert,
Montréal H2L 3Z5

Dépôt légal:
4e trimestre 1992

ISBN 2-89111-557-0

Henri Martin-Laval

La Cage

Libre Expression

Si une personne au monde peut maîtriser un savoir, presque toutes les autres personnes le peuvent, si on leur fournit les conditions d'apprentissage appropriées.

Benjamin S. Bloom

Avertissement

Le récit que vous allez lire est basé sur les événements vécus par une jeune fille du Québec des années 1980. Afin de protéger l'identité de l'enfant et celle de sa famille, les noms des lieux où se sont déroulés ces événements ainsi que ceux des personnages qui peuplent ces pages ont été modifiés.

Remerciements

Je désire remercier sincèrement Mme Aimée Le-
duc, professeur à la faculté des sciences de l'éducation
de l'université Laval à Québec. Elle m'a donné accès à
la documentation de base nécessaire à la conception de
cet ouvrage et elle m'a régulièrement dispensé ses très
encourageants commentaires tout le long de sa rédac-
tion. De plus, j'ai pu puiser dans son œuvre scientifique, *L'Histoire d'apprentissage d'une enfant sauvage*
(Éditions Behaviora, 1989), une foule de renseigne-
ments indispensables à mon travail.

Je remercie également mon éditrice, Mme Carole
Levert. Ses précieux conseils m'ont aidé à mener à
bien mon entreprise.

Je veux enfin souligner la participation constante
de Michèle-Hélène Regimbal au cours de longs mois
d'écriture. Avec amour, avec passion, elle a lu et relu
chaque partie de ce récit. Ses remarques judicieuses et
son enthousiasme ont permis qu'il voie le jour.

Préface

Brasov, Transylvanie, premier avril 1992. Par un bel après-midi frais d'un printemps naissant, nous admirions l'église Noire sur la Piata 23 August. Nous arrivions de Bran, où nous avions visité le château de Vlad Tepes; il était trois heures, et nous n'avions pas mangé depuis le matin. Inutile de dire l'avidité avec laquelle nous nous sommes engouffrés dans le *Cerbul Carpatin*, la brasserie locale.

«Nous», c'étaient six Québécois professionnels de la rééducation venus en Roumanie pour offrir aux éducateurs du pays une semaine de formation sur l'intervention auprès des personnes qui vivent avec une déficience intellectuelle. Il y avait avec nous une infirmière française en poste à Bucarest et notre guide roumain.

Ce n'est qu'en ressortant du château que nous avons vraiment commencé à regarder autour de nous, et que la beauté des lieux nous a frappés. Comme un joyau multicolore dans son écrin de montagnes, la place centrale de Brasov semble sortie d'un conte de fées situé quelque part entre *Les Mille et Une Nuits* et un conte de Charles Perrault. Les bâtiments aux façades ouvragées, sculptées de mille arabesques, les fenêtres en arcs romans, les tours, les clochetons, les statues et les caryatides drapées de pierre, les bas-reliefs fleuris, les colonnes ouvragées, tout y concourt à éveiller dans une âme de Nord-Américain le respect et l'admiration pour une culture grandiose et millénaire.

Rassasié, enveloppé de soleil, je me laissais doucement aller au plaisir de l'émotion artistique. Perdu dans cette foule qui se pressait sur la place pour profiter des premiers bienfaits du printemps, j'errais sans but, le nez en l'air, la tête légère.

C'est alors que je l'ai vue. Une femme dans la trentaine traînant derrière elle, à bout de bras, un enfant d'au plus trois ans qui se débattait en pleurant à chaudes larmes. Arrivée près de notre petit groupe, elle s'est soudain arrêtée, a accroché le petit d'une main et s'est mise de l'autre à le talocher à grands coups, comme on bat un tapis. Les claques arrivaient de partout, en volées répétées, et plus elles tombaient drues, plus l'enfant hurlait, et plus la mère frappait.

La correction a duré une éternité m'a-t-il semblé. Nous sommes tous restés là, à regarder, sans bouger, sans dire un mot, sans rien faire... Ou plutôt si, en faisant semblant de ne rien voir! Notre malaise était si oppressant qu'après le drame, lorsque nous avons rejoint les voitures pour rentrer à Bucarest, personne n'a parlé d'autre chose que de l'architecture merveilleuse de Brasov, personne n'a eu un seul mot pour cet enfant, personne, sans doute, ne savait que dire. Ce n'est que le lendemain que nous avons pu commencer à échanger nos impressions; nous avions tous été horrifiés, mais nous étions tous restés passifs au moment où il aurait fallu agir.

Bien sûr, les excuses sont légions dans un tel cas: nous étions touristes, ce n'était ni notre pays ni notre affaire, nous ne connaissions pas les mœurs de ce peuple, nous ne savions pas tout ce que cet enfant avait pu faire endurer à sa pauvre mère avant qu'elle n'explose ainsi... Mais le fait demeure que personne, pas même moi, n'a réagi.

La Cage est l'histoire d'une jeune Québécoise qui n'a pas eu de chance, un peu comme mon petit Roumain de Brasov. Pour Marie, tout le monde a aussi fait semblant de ne rien voir, tout le monde a regardé ailleurs. Et tout le monde avait d'excellentes excuses.

C'est par hasard que j'ai appris l'histoire de Marie et de son passage de la cage de bois à la cage de fer. Ce que j'ai appris m'a d'abord scandalisé, tout simplement. Et puis, peu à peu, cette histoire m'a fait réfléchir, et m'a poussé à écrire les pages qui suivent. L'écriture n'est pas mon métier, mon métier c'est la psychologie, mais l'écriture est ma passion. Et quand je me suis rendu compte que peut-être, pour une fois, je pouvais ne pas rester insensible, ne pas faire semblant de ne pas voir, je me suis mis à l'œuvre.

Dans ces pages, je ne suis plus touriste, je ne suis plus l'étranger qui ne connaît pas les mœurs du pays; je suis chez moi, au Québec dans les années 80 et, qui plus est, dans la sous-culture qui m'est sans doute la plus familière, celle de ma profession. Dans ces pages, je ne juge pas, je n'accuse pas; je constate simplement que les faits que je présente sous forme de récit sont réellement arrivés et que, si tous ceux qui ont été en contact avec Marie ont ressenti le «syndrome de Brasov», tous n'ont pu en parler que le lendemain ou plus tard encore.

Il n'existe qu'une seule vérité universelle, indéniable, c'est celle de la vie. C'est celle qui dit que chaque fois que je violente, que je détruis, je commets un crime. Je commets un crime contre la nature, contre la planète, contre l'univers, contre la vie elle-même. Que j'écrase une fourmi d'un coup de talon, que je tabasse un enfant dans la rue ou que j'en enferme un autre pour toujours, je suis un criminel, quelles que soient les raisons qui m'ont poussé à commettre cet acte.

Mais quand c'est tout un système social organisé qui se ligue pour «contrôler» un enfant en l'enfermant comme un petit animal, quand ce système écrase et détruit ainsi une vie humaine, qui commet le crime?

Je n'ai jamais rencontré Marie, je n'ai participé ni de près ni de loin à sa rééducation. Je n'ai fait que raconter ce que d'autres m'ont dit d'elle. Et pourtant, en tant que membre à part entière du système, quelque part, en dedans de moi, je me sens coupable.

Henri Martin-Laval

PREMIÈRE PARTIE

Une nouvelle enfant nous est née

Simone

Saint-Mathias-de-la-Rive est un gros village isolé, niché entre deux pans de montagne et deux immensités. Devant, l'immensité de la mer qui s'étale, infinie, vers des pays de rêve; derrière, celle plus compacte de la forêt qui remonte si haut vers le nord qu'elle en disparaît. Accroché par la rage de vivre de ses habitants à la rive du grand fleuve, le village perdu vivote dans le froid de l'hiver depuis une centaine d'années.

Deux artères permettent à la vingtaine de rues qui forment Saint-Mathias de s'alimenter régulièrement en denrées et en nouvelles: la route de Québec qui, en traversant le village, se transforme pompeusement en rue Principale, et le port, véritable cœur de la communauté.

C'est dans le port que tout se passe à Saint-Mathias. En fait, deux grands événements sociaux se produisent régulièrement dans le village à la belle saison: l'arrivée enthousiaste des gros cargos crasseux aux flancs lourds de surprises, et leur triste départ, une fois leurs cargaisons d'origine remplacées par quelques tonnes de bois ou de minerai de cuivre. Et tous au village profitent de ces visites: les marchands qui font des affaires d'or lorsque les matelots envahissent leurs bars ou leurs échoppes, les matelots qui, pendant quelques heures, oublient leur solitude dans les bras d'une fille ou au fond d'une bouteille et, enfin, tout le bon peuple de Saint-Mathias qui vient admirer pendant quelques jours les géants accostés ou, même, lorsqu'un capitaine assez généreux le permet, se risque à visiter un de ces monstres.

Comme autant de joyaux dans leurs écrins, des dizaines d'étoiles percent la nuit. Mais cette beauté sublime n'est qu'un masque: celui du froid polaire qui mord subitement au plus vif le téméraire qui ose l'affronter.

Emmitouflée dans un manteau de coton noir si usé qu'on en voit la corde, les doigts gourds dans ses gants troués, les oreilles rougies par le froid, une grande femme élancée piétine devant le snack-bar *Chez Thérèse*, essayant bien futilement de réchauffer ses pieds gelés en les tapant sur la glace qui recouvre le trottoir. Mue par une sorte de tic, elle rejette en arrière sa tête nue à intervalles réguliers, s'ébrouant comme un cheval qui renâcle sous la férule. Cet exercice étrange a évidemment pour but de faire tomber la neige qui s'accumule sur sa chevelure de feu, mais il vise surtout à surprendre en soulignant la violence du contraste que fait la crinière rousse contre la blancheur du visage trop lourdement fardé.

Comme chaque soir, en ces heures incertaines de la tombée du jour, Simone Leblanc se doit, pour survi-

vre, d'attirer les regards. Et comme chaque soir, souriant sensuellement à chaque homme qui croise sa
route, elle fait son travail, le seul qu'elle sache faire...

Depuis maintenant plus de cinq ans, tout Saint-
Mathias a l'habitude de voir Simone arpenter ainsi
méthodiquement *son* trottoir dès que la nuit commence
à tomber. C'est son domaine, son territoire. Et comment pourrait-il en être autrement, puisque c'est elle
qui, la première, a découvert ce coin de rue bien acha-
landé, à mi-chemin entre le snack-bar ouvert 24
heures, et le terminus des autobus.

Dès son installation, Simone devait bien vite
constater qu'elle avait, en occupant d'autorité ce lopin
de turf, mis la patte sur une mine de voyageurs de
commerce, un véritable Eldorado de représentants en
n'importe quoi qui ne cherchaient que l'occasion d'oublier quelques heures leurs femmes trop usées dans les
bras de la première belle de nuit venue. Et la première
à Saint-Mathias, c'était Simone!

Oh, bien sûr, tout ça n'avait pas été facile... Au
début surtout. Simone avait dû défendre son carré de
trottoir contre l'envahissement aussi vorace que violent des anciennes, bien peu enclines à lui laisser sa
part du gâteau, et contre les pressions plus maladroites
mais plus fourbes des débutantes. Mais Simone avait
su résoudre les problèmes au fur et à mesure qu'ils se
présentaient. Subtilement, elle avait confié les cas des
plus robustes de ses rivales à ses clients les plus so-
lides, marins de passage, membres du club de motards
local, portiers de *L'Auberge des routiers* ou du *Flamingo*, les deux seuls hôtels de la région. Puis, elle s'était
chargée elle-même de ses autres rivales.

C'est ainsi que des jeunes filles de dix-huit ou de vingt ans, fraîchement arrivées de leur campagne natale pour faire rapidement fortune au gros village de Saint-Mathias, s'étaient retrouvées carrément défigurées par les griffes de la Rouge, comme on l'appelait depuis dans le milieu, tant à cause du feu de sa chevelure que du souvenir de ce sanglant règlement de comptes. Les autres filles avaient bien vite compris, et, depuis presque deux ans maintenant, Simone régnait seule et altière sur son domaine de la rue Saint-Charles.

Et elle y vivait heureuse, en harmonie avec elle-même et avec son entourage. Car au fond, la Rouge de Saint-Mathias n'était pas bien méchante. Au contraire, elle savait être humaine, chaleureuse, généreuse même, avec ses amis, bien entendu! Elle aimait les hommes, et elle aimait les bêtes. Et plus que tout au monde, elle aimait les chats. Tous les félins du voisinage, qu'ils aient quatre pattes ou qu'ils n'en aient que deux, savaient bien qu'ils pouvaient compter sur la prodigalité du cœur d'or de la fille de joie si, par un soir d'amertume, ils s'avisaient de gratter à sa porte.

Au cours des années, cette réputation de largesse s'était d'ailleurs si solidement établie dans la région que «la piaule», comme les habitués aimaient appeler le taudis dans lequel vivaient Simone et les siens, était devenue un lieu de rencontre, une sorte de pèlerinage, pour la racaille la plus crapuleuse, aussi bien que pour la lie la plus misérable de la société. C'était une espèce de Cour des Miracles moderne où «quêteux» en guenilles, matelots en vadrouille, routiers en manque, «pégreux» en cavale et même policiers en civil à la poursuite des précédents, se retrouvaient régulièrement pour faire la fête, négocier de délicates et lucratives transactions et profiter gracieusement des charmes de Simone quand elle avait elle-même abusé d'alcool et d'amphétamines. Et bien peu des habitants de la rue Saint-Charles s'endormaient avant les petites heures du matin les soirs de bacchanale.

Le jour, la vie était plus calme dans «la piaule». Roi et maître officiel des lieux, le vieux Ligori Leblanc, beau-père de Simone et de sa sœur Gloria, dirigeait habilement la vie de la maisonnée. Pernicieusement brillant, cet ancien pilote du fleuve avait réussi à épouser la veuve de Mario Tougas, propriétaire jusqu'à sa mort du bar *Flamingo*, et respecté dans le milieu interlope de Gaspé jusqu'à Québec. Douce, soumise et renfermée, Maryse Tougas n'avait jamais su vivre sans un homme à ses côtés; aussi la mort de son cher Mario l'avait-elle laissée dans le désarroi le plus douloureux, proie aussi facile que rêvée pour le diabolique Ligori. Véritable modèle de séduction enjôleuse, celui qu'on surnommait Gori s'était, en moins de six mois, rendu assez indispensable auprès de la veuve désemparée pour qu'elle lui ouvre son cœur, sa maison et son compte en banque.

Pendant dix ans, Gori avait gaillardement dilapidé l'héritage que Mario Tougas avait laissé à sa femme. Et puis, par un beau jour de mai, Maryse était morte, ruinée tant financièrement que par les abus d'alcool auxquels son second époux l'avait poussée, laissant ses deux adolescentes à la merci de la bête sauvage qu'était devenu son mari au cours des ans.

Les dernières ressources de la famille épuisées par les frasques du beau-père, c'est lui qui s'était mis en frais de profiter des deux jeunes filles que la vie semblait lui avoir données en cadeau; bientôt, pendant que Simone, la plus vieille et la plus jolie, se voyait forcée de participer au soutien de la famille en versant au vieux une rente sur les contributions qu'elle recevait en échange de son corps, Gloria, la puînée, se trouvait reléguée au rang de servante d'un vieillard alcoolique.

Et bon an mal an, la vie avait poursuivi son cours dans la piaule de la rue Saint-Charles; en fait, à voir la façon de vivre du père Leblanc et de ses deux filles, on se serait parfois cru au sein d'une famille très humble, mais parfaitement ordinaire par ailleurs.

Le matin, le vieux Gori se réveillait toujours le premier: à son âge, le sommeil n'était plus qu'un rêve inassouvi. Il descendait péniblement, mais aussi prestement que ses genoux gonflés d'arthrite le lui permettaient, les marches craquantes de l'escalier qui menait à la cuisine, puis, assis au bout de la table, il hurlait:

— Gloria! J'suis debout!

Bien dressée, la benjamine sautait du divan-lit dans lequel elle dormait toute habillée au salon pour se mettre aussitôt à l'ouvrage en préparant le gruau matinal du père.

Gloria a seize ans, mais elle en fait aisément le double. Ses traits, même à son réveil, sont péniblement tirés. Des poches grises encavent ses yeux ternes dans leurs orbites, et sa peau, malsaine et boutonneuse, semble transparente par endroits tellement les minéraux les plus élémentaires lui font défaut. Chétive, rachitique même, elle souffre depuis sa naissance d'une difformité du bras droit qui ne permet à ce membre que les mouvements les plus sommaires. Maigre, fragile, trop longue sur ses jambes frêles, elle est l'image vivante de la misère humaine.

En ce triste matin d'hiver, pendant que, dépenaillée dans sa robe de nuit crasseuse, les cheveux en broussaille et les yeux bouffis de sommeil, elle s'affaire, comme chaque matin, à préparer le petit déjeuner du père, elle songe à l'injustice de sa vie. Elle se demande pourquoi elle a hérité de toutes les tares, et sa sœur, de tous les talents. La plus belle, la chou-chou du père, celle qui sait écrire son nom, lire le journal, celle qui sort avec des hommes, qui a toujours de l'argent plein ses poches: comme elle la déteste, comme elle aimerait lui faire son affaire à cette Simone abhorrée.

— Envouèye, envouèye, la noire! J'ai faim à matin.

Et lui! Comme elle le hait ce père qui n'a de père que le nom! Lui qui a la main si leste quand il s'agit de la corriger ou de lui caresser les cuisses, mais si lente dès qu'elle ose lui demander le moindre argent ou, à plus forte raison, un peu de tendresse.

Le feu est haut sous la casserole. Les grosses bulles pâteuses du gruau brûlant éclatent à la surface, projetant leurs gouttes de pâte collante sur le dessus graisseux de la cuisinière. L'odeur douceâtre et un peu écœurante de la purée d'avoine cuite se répand dans la maison.

De toute façon, comment pourrait-il l'aimer comme un père, lui qui ne l'est même pas? Oh, bien sûr, il a autrefois épousé sa mère, mais est-ce suffisant pour en faire son père? Simone n'avait alors que douze ans et elle, Gloria, devait en avoir cinq ou six. Au début, les premières semaines, il avait «joué au père», pour sauver la face, et tout s'était bien passé. Mais très vite il avait commencé, les soirs où sa femme était trop soûle pour se tenir sur ses jambes, quand Simone était sortie pour «plumer ses pigeons», comme elle disait, à venir la rejoindre dans son lit, elle, Gloria, la noire, la tordue. Oh, pour ça elle était bonne! Pour le recevoir, puant d'alcool et de tabac sur sa pauvre couche du salon, pour le laisser assouvir ses instincts les plus bas dans son corps frêle et difforme, pour, le lendemain, se taire devant sa mère, de peur d'être battue, pour, quelques années plus tard, alors que son corps était devenu adulte, se faire avorter en secret par une voisine, empêchant ainsi la venue au monde d'un enfant qui aurait été aussi malheureux qu'elle. Pour ça, oui, elle était bonne! Mais pour le reste...

Gloria saisit la queue de la casserole avec le linge à vaisselle souillé qui est son premier instrument de travail et, se brûlant malgré tout les doigts, elle verse le gruau fumant dans le bol ébréché du père.

Assis au bout de la table, les quelques maigres poils gris qui garnissent encore sa poitrine jaillissant d'une camisole douteuse, le vieux Ligori achève à petites gorgées sa première bière de la journée. Sans un mot, il attrape sa cuillère à pleine main et la plonge dans son bol pendant que Gloria s'en retourne à ses fourneaux de son pas traînant. Elle a à peine esquissé son mouvement qu'un hurlement de douleur la fait sursauter:

— Ayoye! Christ! Gloria ma câlice, viens icitte que j'te montre à m'brûler avec ton maudit gruau!

Le père fait sa crise.

Brisée par des années de violence, résignée, abattue, la jeune fille, les larmes aux yeux, revient vers le vieux. Elle n'a pas à attendre bien longtemps la leçon promise. Vive comme un éclair, la lourde main calleuse part toute seule, et son revers atteint Gloria en pleine figure. Elle encaisse le coup sans un cri, essuie le mince filet de sang qui coule au coin de ses lèvres, puis, stoïque, retourne vers sa cuisinière. Mais derrière cette façade insensible, les idées se bousculent dans sa tête en une sarabande hystérique.

Pourquoi doit-elle accepter les brimades, les insultes, les coups de ce vieux qui, au fond, n'est rien pour elle, moins que rien? Pourquoi n'est-elle pas comme ces autres filles qu'elle voit tous les jours dans ses téléromans chéris, belle, riche, choyée, adulée? Pourquoi ne peut-elle pas, comme tant d'autres dont les journaux policiers vantent les exploits crapuleux, se débarrasser de lui et, du même coup, pour faire bonne mesure, de cette sœur qu'elle hait tant? Pourquoi ne pas l'exécuter tout de suite ce plan de libération qu'elle échafaude en secret depuis tant d'années? Un petit geste rapide, un coup bien placé, et le tour est joué! Fini l'esclavage, finies les souffrances, finis les vexations, les injustices, les «bonnes volées», les viols à la sauvette...

Comme dans un rêve, Gloria voit sa main s'allonger vers le grand couteau à dépecer qui traîne sur le comptoir de la cuisine. Elle le prend calmement, tendrement presque, le serre si fort dans son faible poing fermé que ses phalanges en blanchissent. Maintenant elle le dirige, brillant, acéré, puissant, ce doux instrument de sa vengeance, vers le dos tant détesté que lui tourne le vieux...

Au moment où Simone, réveillée par les cris du père, entre en trombe dans la pièce, Gloria, le couteau à bout de bras, s'apprête à asséner le coup de grâce à la forme ensanglantée qui se tord de douleur sur le plancher. Instantanément, mue par les réflexes de survie qu'elle a appris dans la rue, Simone attrape le poignet meurtrier juste à temps pour arrêter le geste irrémédiable que sa sœur, folle de rage, va faire. Et elle envoie un coup de poing si violent au menton de la pauvre fille que celle-ci s'affaisse aussitôt, comme une loque.

Puis, sans porter plus d'attention à sa cadette, la Rouge se précipite vers le vieux qui s'est traîné sous la table pour tenter d'échapper aux coups. Le tirant de son précaire abri, elle réussit à le faire asseoir sur une chaise et, en lui parlant tout doucement, comme on parle à un petit enfant, elle parvient à calmer un peu ses gémissements. Un rapide examen de la blessure qui ensanglante l'épaule droite du vieillard la rassure aussitôt: la plaie n'est pas profonde et la vie de l'homme n'est aucunement menacée.

— C'est correct le père, vous êtes correct. C'est pas ben ben grave, juste un peu de sang. M'as vous arranger ça, vous allez voir, ça s'ra pas ben long... Pis ça f'ra pas mal. Ten, étirez-vous l'bras sur la table, m'as vous laver ça...

Et, sans cesser de lui parler sur un ton rassurant, Simone entreprend de nettoyer la plaie avec de l'eau savonneuse. À mesure qu'elle essuie le sang, elle constate avec soulagement qu'ils ont tous les deux eu plus de peur que de mal, puisque la blessure n'est en définitive qu'une égratignure très superficielle. Peu à peu, le vieux Leblanc arrête de geindre. Brusquement, il se tourne, grimaçant de douleur, vers la pauvre Gloria qui gît toujours, inanimée, au milieu de la pièce.

— A va m'payer ça, c'te christ-là! Tu vas voir la volée que j'vas y sacrer!

— Voyons, l'père, donnez-y donc une chance... Après toute, a vous a pas fait ben mal. Pis est tellement faible d'avance. C'est vous qui allez la tuer si vous continuez d'même.

— Ben voyons donc Simone, ça a pas d'allure sauter su' son père avec un couteau. Faut qu'ça s'paye des affaires de même.

— Ben oui, ben oui, mais ça s'rait p'têt' ben mieux si on attendrait que tout le monde soit un peu calmé. Vous pensez pas l'père?

Et subtilement, tout en continuant de panser la plaie du vieux et de lui masser la nuque, Simone, qui sait tout l'ascendant qu'elle a sur son beau-père, use instinctivement de ses charmes les plus efficaces afin d'éviter à sa sœur une correction dont elle connaît d'avance la sauvagerie. En fait, depuis la mort de leur mère, Simone a toujours, du mieux qu'elle a pu le faire, défendu Gloria contre les assauts du vieux. Consciente de ses responsabilités envers sa jeune sœur, elle lui pardonne tout, s'interpose constamment pour calmer la violence du vieux Gori et ne remet même pas en question, dans l'amour inconditionnel qu'elle témoigne à sa cadette, la haine incompréhensible que cette dernière lui voue en retour.

Le pansement terminé, Simone sort une grosse bière fraîche du réfrigérateur et la sert au vieux dans son bock favori.

Puis, tout doucement, elle s'approche de sa sœur et, lui caressant tendrement le visage avec une débarbouillette humide, elle tente de la ranimer. Gloria gémit faiblement. Elle redresse lentement la tête comme un boxeur groggy, ouvre des yeux hagards et, en voyant sa sœur penchée sur elle, se met à hurler comme si elle avait vu le diable en personne.

— Farme ta gueule si tu veux pas en manger une bonne! lui crache Ligori, rouge de colère et de haine.

La voix terrible du père a ramené Gloria à la réalité. Péniblement, ses idées se remettent en place et, se souvenant du geste qu'elle vient de faire, elle réalise peu à peu la délicatesse de sa position. Elle sait que le châtiment doit venir; elle ne sait pas quand il viendra, c'est tout. Aussitôt, elle cesse de se débattre pour retrouver son attitude de bête soumise. Son menton lui fait mal. S'appuyant sur le bras que lui tend sa sœur, elle se relève douloureusement, puis repousse avec rancœur son aînée. Elle se dirige vers la porte et enfile son vieux manteau déchiré par-dessus sa robe de nuit. Penchée sur ses bottes rongées de calcium, elle grimace encore.

— J'm'en vas faire un tour, j'vas r'venir plus tard, lâche-t-elle à la cantonade.

Les deux autres ne font pas un geste pour la retenir. En fait, ils sont assez habitués à ces scènes de violence familiale pour savoir qu'elles se terminent toujours par une promenade et qu'au retour, tout est oublié, tout sauf la haine, jusqu'à la prochaine empoignade.

Mais ils sont loin de se douter que ce jour-là n'en sera pas un comme les autres. Comment pourraient-ils savoir en effet que la pauvre Gloria a bien préparé son coup. Depuis longtemps elle a prévu qu'après avoir tué sa sœur et le vieux elle s'enlèverait la vie à son tour. En ce moment même, elle emporte avec elle, dans la poche de son manteau, une bouteille de barbituriques qu'elle a patiemment remplie de petits comprimés mortels en les volant, depuis trois mois déjà, au rythme d'un ou deux chaque jour, dans les affaires de sa sœur. La première partie de son plan a avorté, certes, mais cet échec ne change absolument rien au déroulement de la seconde.

Sereine, sûre d'elle-même pour la première fois de sa vie peut-être, elle marche maintenant à petits pas légers vers le cimetière. Elle salue d'un large sourire les quelques connaissances qu'elle rencontre sur son chemin et qui restent bouche bée devant un tel changement d'attitude chez cette jeune fille timide qui, habituellement, ne les regarde même pas.

Gloria connaît bien le chemin. Elle a depuis longtemps pris l'habitude, chaque fois qu'une chicane de famille devient trop violente, de venir se recueillir sur la tombe de sa mère. Elle y trouve le réconfort, la force de continuer à se battre, à vivre, à respirer. Mais cette fois, elle ne vient pas chercher l'espoir; cette fois, sa décision est bien prise: elle vient chercher la paix.

Elle sait qu'elle ne peut plus continuer, qu'elle ne peut plus supporter l'injustice de sa vie et les tourments quotidiens qu'elle lui apporte. Elle ne veut plus souffrir.

La neige crisse sous les bottes de la jeune fille pendant qu'elle se faufile entre les pierres tombales. Comme une automate, elle s'arrête devant la tombe maternelle et se met à genoux. D'une main tremblante, elle ouvre le flacon de drogue. Puis, d'un mouvement brusque, comme si elle avait peur que le moindre instant de réflexion ne vienne enrayer son geste, elle en vide tout le contenu dans sa bouche pâteuse de frayeur.

Les pilules sont difficiles à avaler. Comme autant de cailloux, elles emplissent sa bouche, se collent à son palais, se glissent sous sa langue et refusent de se laisser croquer. Fermement décidée à aller jusqu'au bout du seul geste d'indépendance qu'elle ait jamais fait de sa vie, Gloria attrape à mains nues une poignée de neige et se l'écrase sur les lèvres. Au fur et à mesure que la neige fond, elle en reprend, à pleines mains, à pleine bouche, et peu à peu, derrière ses lèvres gelées, les petits cailloux de l'ultime oubli se laissent avaler, sans douleur, sans effort...

Quand elle ne sent plus rien sur sa langue, Gloria s'allonge sur la tombe de sa mère, ferme pour la dernière fois les yeux et commence à réciter une prière de son enfance. Des larmes chaudes coulent entre ses paupières serrées, mais elle ne ressent aucune douleur. Ses membres deviennent lentement de plus en plus lourds, engourdis, inertes, et elle ne sait même pas si c'est à cause des pilules ou à cause du froid. Sa respiration de plus en plus pesante la berce de son rythme doux et régulier. Immobile, incapable de bouger maintenant, elle attend la mort. Elle parle à sa mère, s'excusant de son geste, lui expliquant qu'elle n'en peut plus, qu'elle veut se retrouver auprès d'elle, auprès de Jésus, dans la chaleur du Paradis. Elle ne se rend même pas compte que sa voix se fait de plus en plus faible, que son débit ralentit peu à peu et que, finalement, elle ne se parle plus qu'à elle-même, dans sa tête...

Ce n'est que le lendemain vers midi que la police se présenta à la maison de la rue Saint-Charles. Le sort avait voulu que ce soit un jeune constable fraîchement émoulu de l'école de police qui fasse la découverte du corps, et que ce soit lui qui soit chargé de prévenir la famille. Très ému, il s'acquitta rapidement de son devoir, négligeant peut-être d'approfondir son analyse des causes du suicide, et, dès qu'il lui parut décent de le faire, il quitta en vitesse la famille éplorée pour rejoindre ses collègues déjà attablés au restaurant du coin.

Restés seuls, Simone et le vieux se regardent longuement. Elle, les larmes aux yeux, déchirée entre la haine que le vieux lui inspire et la crainte qu'il éveille encore au plus profond de ses tripes; lui, comme toujours, froid, calculateur, réfléchissant intensément à la possibilité que la police puisse trouver quelque chose à lui reprocher dans cette affaire. Puis, rassuré par ses réflexions autant que par l'attitude de l'agent qui vient de sortir, il s'approche de la Rouge et, en lui caressant tendrement les cheveux, lui dit:

— Bon ben nous v'là tous les deux tout seuls asteure. J'espère que tu vas être ben fine avec ton vieux papa, ma belle Simone...

Et pendant qu'il continue à l'envelopper de paroles douceâtres, sa main descend lentement vers la poitrine de la fille. Quand il touche son sein, elle a un léger mouvement de recul, mais, la regardant dans les yeux d'un regard plein de haine, il resserre sa prise, l'amenant à la limite de la douleur. L'incroyable se produit alors.

Terrorisée par ce regard de feu qui la subjugue, éperdue de frayeur et de chagrin, subitement soumise à la volonté de son lubrique beau-père, Simone, ravalant les larmes qui lui enflent les yeux, attire vers elle le visage du vieux et l'embrasse, sur la bouche, comme elle le ferait avec n'importe lequel de ses clients.

Jacques

C'est environ six mois après la mort de Gloria que Simone rencontra un client très particulier, très assidu, et qu'elle apprécia plus que tous les autres; au point même d'en oublier de lui faire payer la plupart des services «spéciaux» qu'elle lui dispensait généreusement. Cette largesse inhabituelle aurait été aussi déplacée que dangereuse pour la plupart des autres filles de Saint-Mathias qui devaient, noblesse oblige, rendre quotidiennement leurs comptes à Raymond, le souteneur local, un homme au teint foncé, dans la trentaine, beau parleur avec les femmes et fort habile à jouer subtilement du couteau avec les plus réticentes.

Mais Simone fixait elle-même le prix de ses soirées. Bien décidée, depuis qu'elle avait vu le sort réservé à celles qui tombaient sous la coupe de l'exploiteur, à ne pas se laisser utiliser aussi servilement que les autres, la Rouge avait réussi — en grande partie grâce à l'influence d'amis bien placés, dans la pègre comme dans la police — à garder son indépendance.

En fait, Raymond n'avait fait que deux tentatives pour s'approcher de la lucrative rousse. Quelques jours à peine après la première, les policiers, d'habitude si indulgents avec les «employées» du beau Raymond, avaient commencé, fort étrangement, à persécuter les filles; ils les arrêtaient pour des contrôles d'identité qui n'en finissaient plus; ils les suivaient dans la rue, pendant des heures et des jours, pour bien s'assurer qu'elles ne sollicitaient personne; et ils prenaient un malin plaisir à les fouiller — avec une méticulosité d'autant plus approfondie que la victime était plus attrayante — aux moments les plus inattendus, dans l'espoir de trouver sur l'une d'elles quelque seringue usagée ou même un simple «joint» accusateur. Après seulement deux semaines de ce traitement de choc, Raymond était retourné voir Simone, mais cette fois, c'était pour conclure une trêve avec elle.

Le proxénète n'avait récidivé qu'une seule fois depuis cette mémorable chasse aux sorcières. Six mois à peine après l'affaire du harcèlement policier, il revenait menacer la fille Leblanc de lui en faire voir de toutes les couleurs si elle persistait à refuser sa protection. Mal lui en avait pris. Dès le lendemain, il se réveillait à l'hôpital, les jambes cassées, et sa leçon bien apprise. Simone pouvait avoir le bras long et, désormais, elle pouvait agir à sa guise.

Et elle ne s'en privait pas! Bien sûr, la plupart du temps, comme toute bonne commerçante qui se respecte, elle se faisait payer ses services clandestins à leur juste valeur. Mais, puisque au fond elle était une travailleuse autonome, elle se permettait à l'occasion d'accorder à celui qui avait l'heur de lui plaire les faveurs les plus spéciales à un prix dérisoire, ou même, dans les cas les plus exceptionnels, à titre gracieux, tout simplement! Et c'est précisément de cette prérogative qu'elle avait décidé d'user avec Jacques.

Par une froide nuit de novembre, Simone arpente paresseusement son trottoir devant *Chez Thérèse*. Elle est un peu fatiguée ce soir, ayant fêté la veille plus que de coutume, et elle commence sérieusement à songer à rentrer se coucher. Elle vient de lancer dans le vent glacial le mégot de sa dernière cigarette quand elle avise une forme humaine recroquevillée dans l'encoignure d'une porte.

Simone s'approche lentement, jetant un regard furtif et inquiet aux alentours. La rue semble déserte. Se penchant vers l'homme, elle relève délicatement la tête frisée qui tombe sur la poitrine de l'inconnu et reconnaît aussitôt le beau marin qui l'a sifflée quelques heures auparavant comme elle se promenait sur les quais en face du *Lombard*, un destroyer français accosté depuis trois jours.

L'homme est nettement mal en point. Son bel uniforme de marine est déchiré en plusieurs endroits. Apparemment endormi, il respire bruyamment, comme quelqu'un qui a trop bu, et effectivement l'odeur qu'il dégage ne laisse aucun doute sur la teneur en alcool que son sang doit contenir. Sur sa tempe gauche, les cheveux s'agglutinent, poissés du sang qui a coulé d'une blessure aux bords échancrés, assez vilaine mais pas très profonde. L'hémorragie a cependant cessé depuis un certain temps, car les taches qui maculent la chemise du matelot ont déjà pris une teinte brunâtre. S'étant, une fois encore, assurée que personne n'est en vue, Simone, aussi charitablement poussée par son grand cœur que sensuellement attirée par la plastique de l'homme, prend tendrement la tête meurtrie entre ses mains gantées.

— Hey, réveille-toi, lui dit-elle doucement. Es-tu correct? Réveille-toi, mon beau capitaine.

La douceur de son intervention n'ayant porté aucun fruit, Simone passe à la méthode plus forte mais toujours plus efficace que son beau-père lui a apprise par l'exemple, celle de la gifle. Et elle applique ladite méthode avec tant d'énergie que la solide claque qu'elle assène sur la joue du marin lui brûle encore les doigts quand l'homme ouvre les yeux. Étourdi par le coup, il garde quand même assez de présence d'esprit pour songer à sa survie avant tout et, dans un soubresaut d'autodéfense, il lance violemment son poing en avant, atteignant sa bonne samaritaine au plexus solaire. Simone s'écroule sur le trottoir, gémissante, tordue de douleur, pendant que le marin, reprenant peu à peu ses esprits, se remet laborieusement sur ses pieds en titubant.

— Mais t'es dingue ma parole!!! Qu'est-ce qui t'prend? Tu veux m'assommer, la môme? lance-t-il, hargneux.

— Calme-toi don' maudit fou! lui répond-elle en retrouvant péniblement son souffle. J'essayais rien qu'de t'aider.

— Mais t'es cinglée ou quoi? Tu veux m'aider, alors tu me fous des baffes! Non mais, tu débloques, ma parole!

— T'avais l'air ben mal pris. J'voulais jus' te réveiller.

Tout en parlant, la Rouge s'est remise sur ses pieds à son tour et, fixant le marin de son regard le plus enjôleur, elle s'avance vers lui en se frottant la poitrine pour calmer la douleur. Mais son geste, qui n'avait à l'origine qu'un but curatif, se fait, au fur et à mesure qu'elle s'approche de l'homme, plus doux, plus langoureux, plus invitant.

— Tu m'as fait mal pour vrai. T'es tellement fort. Une chance que tu m'as pas fessée en pleine face... J's'rais ben morte là!

Réalisant enfin à qui il a affaire, le marin baisse sa garde et se laisse maintenant approcher. Quand elle arrive à sa hauteur, Simone, sautant sur l'occasion, lui prend la main et la pose avidement sur son sein endolori.

— C'est ça mon grand... Frotte-moi, ça m'fait du bien.

Éberlué, Jacques s'exécute avec empressement...

Le lendemain matin, le matelot se réveilla dans une petite chambre manifestement féminine qu'embaumaient les pesants effluves de parfums bon marché et dans laquelle le plus complet désordre régnait en maître. Des piles de vêtements jonchaient un plancher de bois à moitié recouvert par un vieux tapis beige sale si râpé qu'on en voyait la corde. Une commode dont les tiroirs mal fermés laissaient échapper des bas-culottes à moitié roulés et la manche d'un chandail rose en laine angora trônait dans un coin de la pièce. Dans son miroir craquelé aux rebords duquel quelques photos racornies achevaient de jaunir se reflétait un véritable arsenal de poudres, de crèmes, de rouges à lèvres et de faux-cils. Une douzaine de flacons de toutes tailles remplis de pilules multicolores garnissaient une table de nuit crasseuse qu'éclairait une vieille lampe de chevet noire munie d'une ampoule rouge. Le papier peint passé, orné de grosses fleurs lilas, se décollait du mur par endroits. Sous l'appui de la fenêtre, quelques plaques de moisissures venaient ajouter leurs tavelures grises aux motifs fleuris.

Jacques, couché dans un vieux lit de cuivre branlant, se soulève sur un coude pour se regarder dans le miroir. Il fait peur à voir! Le sang qui a coulé de la plaie macule de croûtes si foncées le côté gauche de son visage qu'on le croirait affligé d'une tache de vin. De larges plaques de barbe rêche rongent ses joues creusées par l'épuisement. Ses cheveux ébouriffés se dressent en couronne sur son crâne, et son bel uniforme de quartier-maître dans lequel il a manifestement dormi est carrément irrécupérable. Il tente de se lever, mais un marteau d'acier cogne dans sa tête, et il doit s'allonger de nouveau.

Il entend une voix harmonieuse et claire qui chante dans l'escalier qu'il devine au-delà de la porte entrouverte:

> *Au beau mitan du lit,*
> *Au beau mitan du lit,*
> *La rivière est profonde, lon la,*
> *La rivière est profonde...*

Portant un grand plateau laqué sur lequel fument une tasse de café noir et un bol de gruau, Simone entre dans la pièce. Les yeux mi-clos, Jacques l'observe, faisant semblant de dormir. En réalité, il admire la beauté de ce corps féminin, l'harmonie de ces formes sensuelles qui, malgré sa fatigue, l'excitent au plus haut point.

Simone pose son plateau sur le bord du lit et approche sa belle tête rousse de celle du marin. Il sent maintenant sur son visage l'haleine capiteuse de la femme où se mêlent les parfums du dentifrice et du rouge à lèvres. Soudain, n'y tenant plus, il la tire fougueusement à lui et mord violemment sa bouche charnue. Loin de résister à l'attaque, Simone dégrafe son déshabillé mauve pour coller sa peau sur le jeune corps musclé. Dans un fracas de verre brisé, le déjeuner s'écrase par terre, mais les amants n'entendent plus rien; pas même le vieux Ligori qui, à l'étage inférieur, se met à gueuler:

— Simone, ma câlice, veux-tu ben arrêter de m'ner du train d'même!

Étendue, telle une odalisque sur son lit défait, Simone rêve, les yeux à demi fermés, souriante, repue d'amour et de caresses. Vivante image de la sensualité, elle suit du regard les volutes bleutées que la fumée de sa cigarette dessine dans la chambre. Béate, elle se laisse pleinement jouir de cet instant d'oubli, de détente totale de son corps et de son esprit.

Dans la petite salle de bain attenante à la chambre, Jacques fredonne sous la douche un vieil air breton qu'il a appris de sa mère. La chanson parle de marins qui partent au loin et qui n'en reviennent jamais. Étrangement émue par la voix rauque de son amant, touchée par un sentiment de tendresse qu'elle ne connaît pas, Simone ne comprend pas très bien ce qui se passe en elle. En fait, elle se sent soudain intensément mal à l'aise: elle ne peut pas se rappeler la dernière fois qu'elle a été si bien avec un homme.

Bien sûr, elle a déjà ressenti certaines attirances particulières pour les plus beaux ou les plus virils de ses clients. Et, comme toutes les jeunes filles quand elles arrivent à leur maturité, elle est tombée follement amoureuse des jeunes premiers que l'industrie cinématographique a proposés à sa pubère imagination de jeune adolescente. Et même, quelques années plus tard, elle en est venue à jurer de toujours aimer Gilles, celui qu'elle appelait l'homme de sa vie...

Une extase qui avait duré six mois: le temps qu'elle s'aperçoive que Gilles était au fond comme tous les autres, un cochon qui ne voulait qu'une seule chose et qui disparaissait dès qu'il l'avait eue. C'était d'ailleurs à la suite de cette découverte qu'elle avait songé à négocier à bon prix ses faveurs qui, déjà à l'époque, étaient fort en demande. Sa seule erreur avait été de se confier au vieux Gori qui, avide comme un loup aux abois, avait sauté sur l'occasion en lui présentant aussitôt ses premiers clients.

Mais ce jour-là, quelque chose de différent s'est produit. Quelque chose de nouveau a ému la Rouge au plus profond de son cœur, dans ce qu'elle a de plus intime, de plus secret. Ce jour-là, elle sent qu'elle tombe amoureuse de cet étrange et beau matelot que le hasard a placé sur sa route et qui vient s'imposer dans sa vie avec une force irrésistible. Ce qui la fascine le plus dans cette histoire, c'est que ce sentiment inconnu, pour surprenant qu'il soit, lui plaît énormément.

Jacques sort de la douche, une serviette autour des reins. Il s'est nettoyé de tout le sang coagulé qui le maquillait et il a repris figure humaine. Les traits harmonieux de son visage, rasé de près avec le rasoir Bic que Simone utilise quotidiennement sur ses jambes, accroissent le trouble que sa compagne d'une nuit ressent depuis quelques instants. Il s'approche de la commode pour y faire l'inventaire de ce qui reste de ses affaires après la bamboula de la veille.

Le moins qu'on puisse dire c'est que le marin ne partage pas les romantiques sentiments de sa compagne. Oh, bien sûr, elle s'est avérée une partenaire intéressante et elle a satisfait, prévenu même, ses moindres et ses plus secrets désirs. Mais il en a vu d'autres, dans tous les ports du monde, de toutes les races et de toutes les couleurs, et il n'est pas homme à se laisser impressionner par une fille de rue ramassée sur le bord du golfe du Saint-Laurent.

Il ne pense d'ailleurs même plus à Simone, trop occupé qu'il est à se demander combien d'argent il s'est fait voler au cours de la bagarre, quand elle s'approche de lui par derrière pour, moulant son corps sur le sien, à nouveau lui offrir ses lèvres avides. Fermement il la repousse avec un sourire qui, en découvrant ses dents de loup, fait fondre le cœur de la Rouge.

— Du calme, ma belle, il faut que tu me laisses un peu respirer si tu veux que je tienne debout, lui dit-il gentiment.

— Mais j'veux pas t'avoir debout, mon beau marin, répond-elle tout de go, se surprenant elle-même de sa présence d'esprit. Viens don' te r'coucher! Y faut qu'tu te reposes comme y faut si tu veux être capable de r'tourner su' ton grand bateau... Et, lui prenant les mains, elle tente de l'attirer vers le lit encore chaud.

— Allons, sois un peu patiente, la môme. D'ailleurs, j'ai trop faim pour te faire du gringue maintenant. Allons plutôt bouffer une croûte, veux-tu?

Et, enfilant sa veste déchirée, il se dirige vers l'escalier, Simone sur les talons. En passant devant la porte du salon, il désigne d'un coup de menton interrogateur la forme ronflante qui est recroquevillée dans un vieux fauteuil roulant. Fronçant les sourcils, Simone lui tire le bras:

— Ah! Occupe-toi pas d'lui! C'est juste le père. Y dort tout l'temps d'même quand y prend une bière de trop le matin.

— Eh ben mon cochon!... ne peut que rétorquer le marin qui se demande s'il doit admirer l'éthylisme du vieux ou le prendre en pitié.

Incapable de trouver une réponse satisfaisante à une question aussi existentielle, il prend la Rouge par un coude et, sans plus d'intérêt pour son beau-père d'un jour, il l'entraîne, tel un vulgaire paquet, dans la rue.

L'air est doux, sain, parfumé du subtil arôme de l'hiver québécois agonisant. Les amants s'engagent dans la rue enneigée qui mène vers le port. Le calme qui baigne ce matin radieux les enveloppe nonchalamment. Ils marchent en silence, émerveillés par la beauté de l'hiver. Un soleil aveuglant fait scintiller la neige fraîchement tombée de milliers d'aiguilles de lumière. Fouillant dans la poche de sa vareuse, Jacques en ressort une paire de lunettes de soleil. «Tiens, pense-t-il, voilà au moins un morceau qui a survécu à la bagarre...»

Mais aussitôt qu'il tente de se les poser sur le nez, les lunettes se cassent en deux morceaux bien symétriques sous les éclats de rire de Simone, heureuse. Devant l'air renfrogné de son compagnon, elle s'empresse cependant de refouler sa joie et, pour plaire à celui qu'elle appelle déjà dans sa tête son homme, elle sort servilement de son sac ses propres verres fumés qu'elle lui tend avec empressement. Flatté de ce qu'il interprète comme une manifestation de soumission, le marin se détend, accepte l'offrande et pousse même la générosité jusqu'à prendre sa compagne par la taille pour descendre la rue Saint-Charles vers le port.

Envahie de bonheur et de fierté, Simone sourit aux anges. Elle regarde agressivement toutes les filles qu'ils croisent, pour bien leur montrer qu'elle est parfaitement capable de se trouver un homme pour marcher avec elle dans la rue, et un beau avec ça, et en plein jour, encore!

Tout naturellement, leur route les conduit vers le snack-bar *Chez Thérèse*. Simone se réjouit d'avance de la réaction de surprise et d'envie que son beau marin va provoquer chez la patronne et chez toutes les autres filles qui seront installées devant leur petit café à cette heure-ci. Et elle ne se trompe pas.

Sitôt attablé, Jacques est le point de mire de toute la gent féminine du boui-boui. Bien qu'il soit effectivement fort bel homme et qu'en conséquence il se soit habitué au cours des années à susciter un intérêt des plus marqués chez l'autre sexe, il se surprend tout de même un peu de ce débordement d'attention qui prend, lui semble-t-il, des proportions extraordinaires.

Dès qu'il est entré, Thérèse, qui habituellement ne quitte pas ses fourneaux de toute la journée, Thérèse en personne s'est carrément précipitée sur lui, souriante de tout ce qu'il lui reste de dents, s'essuyant les mains au tablier poisseux qui lui ceint les reins, exactement, pense Jacques, comme s'il avait été ministre ou acteur de cinéma. Ayant quand même réussi à reprendre suffisamment ses esprits pour noter la commande, la tenancière s'en est retournée à ses chaudrons, tout en continuant de jeter en direction du couple des coups d'œil aussi admiratifs qu'inquisiteurs. Dans tout le restaurant, ce ne sont que chuchotements, rires nerveux de collégiennes, regards furtifs ou prometteurs qui fusent en direction du beau marin.

D'abord chatouillé dans son orgueil par ces marques d'intérêt, Jacques en vient, au bout de quelques minutes, à trouver la situation plus préoccupante que flatteuse. Ne pouvant faire part de son trouble qu'à une seule personne dans la place, il se penche vers Simone pour lui souffler:

— Mais qu'est-ce qu'elles ont toutes ces nanas à me r'luquer comme si j'débarquais d'la lune?

— Qu'est-ce que tu dis, mon beau marin? J'te comprends pas trop ben...

— J'te demande pourquoi qu'elles me r'gardent comme ça, toutes ces filles!

— Ah oui, rétorque Simone, comprenant enfin le sens de l'intervention de son compagnon, inquiète-toi pas. C'est juste parce qu'elles ont pas vu souvent des beaux hommes comme toi icitte. Pis y faut dire aussi que tu ressembles ben gros à quelqu'un qu'on connaissait ben dans l'bout' v'là quelques années.

— Ah? Et à qui est-ce que je ressemble comme ça?

— Ben j'te l'ai pas dit pour pas t'faire peur hier au soir, mais tu m'fais penser à un ancien chef de police qu'on avait icitte dans l'temps. Pis y a ben mal tourné. Y l'ont r'trouvé dans l'canal, les deux pieds dans l'ciment...

Jacques la regarde droit dans les yeux. Elle a l'air très sérieuse, un peu triste, comme une petite fille prise en faute par son professeur d'instruction religieuse. Soudain, il éclate d'un grand rire franc et vigoureux et, devant l'air déconfit de sa compagne, il prend la peine de lui expliquer:

— Si tu savais comme je m'en balance de tes histoires de pégreux à la gomme. J'en ai vu bien d'autres ma pauv' petite. Ce ne sont pas tes petites conneries de péquenots qui vont m'faire bien peur, tu sais.

Puis, plus fort, en direction de Thérèse cette fois, il ajoute:

— Alors, ça vient ces œufs au plat?

Complaisante et servile, la patronne s'empresse de garnir la table d'œufs au miroir, de petites patates rôties, de pains grillés, de sirop d'érable — du vrai, celui qu'elle garde pour les clients spéciaux — de café brûlant et d'autres douceurs. Puis, comme elle l'avait fait quelques instants plus tôt, elle retourne à sa cuisine sans quitter le marin des yeux. Jacques, lui, ne se fait pas prier pour faire honneur aux victuailles qu'on lui propose et il se précipite sur sa fourchette.

Pendant qu'il s'empiffre comme s'il n'avait pas mangé depuis deux mois, Simone le dévore des yeux, comblée d'admiration devant un si bel appétit, absolument amoureuse, pâmée de cette merveille d'homme que le bon Dieu s'est enfin décidé à mettre sur sa route. Oh, bien sûr, il parle un peu bizarrement, et avec un drôle d'accent, mais de toute façon, à quoi servent les mots quand on peut se toucher?

Déjà, elle se voit en train de persuader le beau capitaine de ses rêves de quitter son bateau, de rester avec elle, à Saint-Mathias, d'accepter de passer le reste de ses jours sous son aile bienfaisante. Elle travaillera pour lui; elle s'occupera de lui comme de cet enfant qu'elle désire tant et qu'elle n'a jamais pu avoir; elle fera tout pour qu'il reste...

Pendant ce temps, Jacques achève ses œufs au bacon et allume un brûle-gueule si culotté qu'il a du mal à y enfoncer le petit doigt pour en tasser le tabac.

«Encore deux semaines, pense-t-il, et on se tire de ce trou. Vivement Montréal, que je voie des vraies filles qui sentent bon. Bah! Enfin, en attendant, on va profiter de cette petite pisseuse pendant les quelques jours qui restent... C'est toujours mieux que rien».

Marie

Comme elle l'avait appris de sa mère et comme elle l'avait à son tour enseigné à sa sœur Gloria lorsque cette dernière était tombée enceinte du vieux, c'est en buvant un litre de vin chaud pour ensuite grimper sur la table de la cuisine et en sauter avec le plus de force possible que Simone avait avorté elle-même la première fois qu'elle avait été enceinte. Comme dans le cas de sa sœur, l'enfant qu'elle avait ainsi perdu était le fruit des œuvres du beau-père et, à ce titre, il ne pouvait absolument pas être question de le laisser naître.

Elle n'avait que seize ans à l'époque, et c'est dans les larmes et le désespoir qu'elle avait dû se résoudre à faire ce geste irrémédiable. Mais elle n'avait pas vraiment eu le choix. Elle tuait son enfant avant qu'il ne devienne viable, ou elle mettait au monde un petit être qui, elle ne pouvait pas en douter, porterait en lui toutes les tares de son beau-père, c'est-à-dire, pour Simone, un petit monstre. Pour elle, la question ne se posait même pas.

Le temps avait passé, Simone avait vieilli. Les blessures étaient devenues des cicatrices. Puis un beau jour, elle avait rencontré Gilles. Il était gentil avec elle, assez beau garçon, et capable de lui faire un enfant normal. Pleine d'espoir, elle s'était préparée à réaliser le rêve de sa vie, devenir mère. Bien sûr, Gilles avait depuis belle lurette disparu dans la nature quand elle avait appris de la bouche du Dr Marleau, médecin au Centre local de services communautaires de Saint-Mathias, qu'elle était de nouveau enceinte. Mais cette fuite était de bonne guerre. Aucun des hommes avec lesquels elle s'abandonnait ne restait bien longtemps auprès d'elle, et Simone n'en attendait pas moins d'eux. La loi du milieu s'appliquait, que le client soit ou non le père de l'enfant.

D'ailleurs, qu'est-ce qu'un Gilles de plus ou de moins aurait bien pu changer à la merveilleuse aventure de la maternité qui se dessinait pour elle à l'horizon? Aurait-il, comme elle, porté l'enfant pendant neuf longs mois? Aurait-il accepté de partager avec elle, ne serait-ce qu'en esprit, les douleurs de l'accouchement? Aurait-il allaité ce bébé vagissant chaque fois qu'il aurait hurlé sa faim? Aurait-il même changé une seule couche?

Non. Vraiment, plus elle y pensait, plus Simone préférait, et de loin, s'arranger seule avec son petit, pouvoir le garder pour elle, s'en occuper, le protéger contre les hommes, contre le vieux Gori surtout, le gâter à son goût, lui donner enfin, et à lui tout seul, tout cet amour qu'elle portait en elle et qu'elle refusait à tous les autres. Quelle joie, quelle fierté elle ressentait quand elle faisait son trottoir quotidien avec, au fond du cœur, au fond du ventre, cet espoir magique et secret qui grandissait de jour en jour, cet espoir prodigieux, celui de donner la vie.

Trois merveilleux mois s'étaient ainsi passés, et Simone sentait que tout allait bien. Le bébé prenait lentement sa place en elle, et elle commençait vraiment à croire que le bon Dieu, pour une fois, allait exaucer ses prières. D'ailleurs, sa grande amie Mona, qui connaissait l'astrologie et ne dédaignait pas de partager un coin de trottoir avec elle quand il lui fallait arrondir une fin de mois particulièrement difficile, ne lui avait-elle pas affirmé que les astres lui prédisaient un enfant et, qui plus est, que cet enfant serait un garçon?

Simone était heureuse. Elle avait acheté d'une voisine un petit lit d'enfant avec des hauts côtés qui se baissaient, l'avait installé dans sa chambre, repeint, décoré de rubans bleus, comme il sied à un petit garçon, et elle commençait à monter sa collection de vêtements de bébé quand le drame avait frappé avec la violence d'un orage d'été.

Un soir qu'elle rentrait d'une pauvre soirée de travail, vers minuit et demi, Simone commit l'erreur de passer par la cuisine pour y prendre un verre d'eau avant de monter se coucher. Le vieux Ligori, plus soûl que jamais, était assis dans son coin, tétant sa bouteille. Voyant entrer sa belle-fille dans le costume de travail qui l'émoustillait tant depuis des années, il sentit monter en lui un désir qu'il croyait depuis longtemps noyé à tout jamais dans les mers d'alcool qu'il avait ingurgitées au cours de sa longue vie de poivrot. Il faut dire que quand il avait bu sa caisse de bière, comme c'était le cas ce soir-là, le vieux Ligori devenait encore plus violent que de coutume. Le viol qu'il fit subir à Simone en cette nuit d'été s'accompagna d'une telle volée de coups de poing et de pied que, deux jours plus tard, elle perdait l'enfant à la suite d'une fausse couche.

Depuis ce jour, Simone avait perdu tout espoir de réaliser son rêve. Oh, elle s'était vengée, bien sûr, et la raclée qu'elle avait demandé à ses amis d'administrer au vieux avait été si violente qu'elle l'avait laissé dans un fauteuil roulant pour le reste de ses misérables jours, la colonne vertébrale brisée. Mais la satisfaction que Simone en avait ressenti ne lui avait rendu ni son enfant ni le goût de vivre.

Six mois après le viol, elle s'était ouvert les poignets avec un tesson de bouteille et s'était retrouvée à l'urgence de l'hôpital de Tadoussac, dans le coma. La chirurgie qu'on avait alors pratiquée sur elle l'ayant condamnée à vivre, Simone s'était résignée, désabusée, perdue, incapable de réussir à son tour le geste ultime que sa sœur Gloria avait su mener à terme.

Et elle avait repris le trottoir avec la pitoyable résignation des victimes. Sur sa table de chevet, une collection supplémentaire de bouteilles de pilules prescrites par le psychiatre de l'hôpital était le seul souvenir tangible de cet atroce épisode.

C'est à ce moment-là que Jacques était apparu dans sa vie. Sa beauté, son énergie, sa virilité avaient tout de suite conquis le cœur de la Rouge. Même si le marin avait profité de sa conquête de façon éhontée, il lui avait également, sans s'en rendre compte sans doute, offert le plus beau cadeau qui se puisse donner, le goût de vivre. Et puis, comme ce sublime goût de la vie ne va pas sans celui de la procréation, Simone, de plus en plus sûre d'elle, s'était subtilement arrangée pour que son matelot breton, sans même qu'il le sache, devienne à son tour le père de son futur enfant.

Quand Jacques était remonté sur son grand navire deux semaines plus tard, sans même un au revoir pour celle qui lui avait ouvert toutes grandes les portes de son cœur, de sa chambre à coucher et, ce qui semblait le plus important pour le matelot, de son garde-manger, Simone avait fait ce qu'elle avait à faire et elle était prête à assumer les conséquences de son geste.

Comme dans le cas de Gilles, elle n'avait pas versé une larme. Bien sûr, elle avait eu beaucoup de chagrin, car elle espérait bien, au fond de son cœur, que son beau capitaine finirait ses jours avec elle, mais elle savait, elle avait su, dès les premières heures, que ce n'était là qu'un rêve. Jacques ne lui avait jamais manifesté la moindre émotion et, à part les moments d'abandon sensuel pendant lesquels il lui répétait ce que tant d'autres lui avaient déjà dit des milliers de fois, il restait froid, distant, méchant même, à l'occasion. Simone savait que son départ allait irrémédiablement se produire, qu'elle ne pourrait jamais l'avoir tout à elle. Pour se consoler, elle se disait, comme beaucoup d'autres conquêtes du beau Français avaient dû le faire avant elle, qu'elle garderait au moins le fils pour lui rappeler le père.

Car, cette fois encore, elle était certaine d'avoir un fils. Mona, repartie le mois précédent pour la Gaspésie, n'était plus en mesure de le lui confirmer, mais elle pouvait le sentir, elle le sentait intuitivement, et on lui avait bien appris que l'intuition d'une mère est un sixième sens qui ne trompe pas: elle portait un garçon!

Quand, à la pharmacie, Simone avait reçu les résultats positifs de son test d'urine, elle avait carrément hurlé de joie, au plus grand désarroi du pharmacien et de ses clients. Puis elle s'était élancée en courant dans la neige, le manteau ouvert, la tête nue, allant nulle part, éperdument heureuse, folle, folle de joie et d'espoir renouvelés. Elle avait couru sur le port, le long des quais, jusqu'à en perdre haleine, puis, épuisée mais défoulée, elle était sereinement rentrée à la maison pour annoncer à sa façon la nouvelle au vieux. Mais cette fois-ci, Simone était bien décidée à ce qu'il n'arrive rien à l'enfant.

En remontant la rue des Bouleaux qui conduisait *Chez Thérèse*, elle se préparait, choisissait ses mots et se promettait bien de tenir le coup face à son beau-père. Car, derrière la façade de dureté que son métier l'avait obligée à se forger, la Rouge était au fond bien douce et, peut-être parce qu'on lui avait dès son plus jeune âge interdit à coups de pied de s'exprimer trop librement, elle avait une sainte horreur des explications et des mises au point. Et, quand elle savait d'avance que lesdites explications risquaient d'être orageuses, comme c'était toujours le cas avec le vieux, elle se sentait très nerveuse, anxieuse même, au point de refuser la plupart du temps de dire ce qu'elle avait sur le cœur.

Mais ce jour-là, Simone est fermement décidée à parler. C'est sa dernière chance, et rien ni personne ne l'empêchera de se défendre et de défendre son enfant avant même qu'il ne vienne au monde.

Elle entre en coup de vent dans le taudis de la rue Saint-Charles. Le vieux a approché son fauteuil roulant de la table et il lit tranquillement un petit journal à potins en sirotant son éternelle bière «tablette». Avec une assurance qu'elle ne se connaît pas, Simone avance vers lui d'un pas décidé pour l'empoigner fermement des deux mains au collet.

— Écoute-moi ben, mon vieux câlice! J'vas t'dire une affaire pis j'veux qu'tu t'en rappelles comme y faut. Chus t'encore enceinte, pis cette fois-là, j'vas l'avoir mon p'tit, pis ça va être un gars, pis j'vas l'garder! C'est l'gars à Jacques que j'vas avoir, pis t'es mieux de te t'nir loin de lui si tu veux pas y goûter pour vrai, mon vieux christ!

— Voyons, Simone, t'as-tu r'viré folle? Chus ben content pour toi, ma fille. Pis le p'tit, m'as t'aider à t'en occuper, c'est tout.

Et le vieux d'essayer avec l'énergie du désespoir de calmer la vociférante furie qui s'accroche à lui pour enfin lui hurler au visage toute la haine qu'elle accumule depuis tant d'années. Le souvenir douloureux de tous les mauvais traitements que cet homme horrible a fait subir à sa mère, à sa sœur, leurs morts prématurées, les coups, les violences, tout lui monte à la gorge comme une nausée dont elle doit se débarrasser une fois pour toutes.

Déchaînée, Simone secoue maintenant le vieux comme un prunier, et lui, affolé par la violence inaccoutumée de l'attaque, ne songe même pas à se défendre.

Profitant de cette passivité inattendue, la fille mobilise ses forces décuplées par la rage et, dans un effort surhumain, elle soulève Gori de son fauteuil pour brutalement le lancer par terre. Il s'écrase comme une loque. Ses jambes sans vie, incapables de le soutenir, sont secouées de tremblements pathétiques. Il geint à présent comme un enfant, adjurant sa fille de se calmer, d'arrêter de le frapper. Mais ses supplications ne font qu'attiser l'ardeur de Simone. Perdant complètement la tête, ivre de vengeance, elle s'acharne à coups de pied sur son bourreau déchu.

Lorsque aucun son ne sort plus de la forme inerte et ensanglantée qui gît à ses pieds, la Rouge se calme enfin et, épuisée, s'affale, au bout de son souffle, dans le fauteuil roulant de l'infirme. Lentement elle allonge la main et, jouissant pleinement de ce geste apparemment anodin mais dont le symbolisme ne lui échappe pas, elle engloutit d'un trait la sacro-sainte bière du vieux...

C'est à la fin d'octobre que Simone ressentit les premiers spasmes de contractions. Elle était prête. Depuis plus de six mois, elle avait, dans la mesure de ses capacités, changé ses habitudes de vie pour se préparer du mieux qu'elle le pouvait à ce grand jour.

D'abord, elle avait arrêté d'avaler sa ration quotidienne de pilules pour les nerfs, jugeant que l'enfant n'avait pas besoin de se faire calmer à travers elle avant même de naître. Elle avait aussi essayé très sérieusement d'arrêter de fumer, mais cet exercice s'étant vite révélé au-dessus de ses forces, elle s'était efficacement déculpabilisée en se disant qu'après tout sa mère avait bien fumé comme un pompier pendant qu'elle la portait et qu'au fond le résultat n'avait pas été si abominable. De plus, rompant alors avec les traditions familiales les mieux ancrées dans son inconscient culturel, elle avait consulté un gynécologue deux fois au cours de sa grossesse! Cette démarche, révolutionnaire pour une femme qui était venue au monde sur la table de la cuisine de sa mère, en disait long sur la détermination de Simone à donner, dès le départ, toutes les chances à son fils. Oui, ce garçon serait un beau bébé, et en santé encore!

Bien sûr, elle avait dû, après quelques mois de grossesse, interrompre ses activités professionnelles, son corps étant de moins en moins attrayant pour ses clients. Mais c'est sans la moindre vergogne qu'elle s'était alors rabattue, pour vivre, sur les prestations gouvernementales que le vieux recevait régulièrement, et qu'elle encaissait systématiquement après lui avoir dûment fait signer les chèques sous la menace de lui couper sa ration de bière quotidienne. Ce n'était là pour elle qu'un juste retour des choses: les temps avaient changé, le vieux loup agonisait et l'esclave était devenue maîtresse.

L'accouchement se passa très bien. Son amie Thérèse, la patronne du snack-bar, l'accompagna à l'hôpital. Puisqu'il n'avait évidemment jamais été question de cours prénatals ou d'accouchement naturel dans son cas, Simone mit son premier enfant au monde dans les oniriques brumes de l'anesthésie la plus totale. Mais elle avait perdu beaucoup de sang et il lui fallut attendre trois jours avant de se sentir assez forte pour enfin voir son enfant.

Assise dans un fauteuil roulant poussé par l'infirmière de service, Simone traverse sans les voir les longs corridors sombres de la maternité. La fade odeur de maladie qui imprègne tout l'hôpital lui fait un peu lever le cœur, mais elle n'y pense pas longtemps: elle va voir son fils! Arrivée à la pouponnière, elle colle son front à la vitre et regarde, les larmes aux yeux, tous ces beaux bébés endormis. Il y en a un parmi eux qui est le sien!

Une pimpante garde-bébé vêtue d'un sarrau blanc si immaculé qu'il en paraît bleu lui demande son nom à travers l'hygiaphone cuivré. Après avoir cherché quelques instants parmi l'essaim de berceaux de plastique transparent, elle pousse, toute souriante, le poupon numéro vingt-six vers la baie vitrée. Simone, très émue, s'avance sur le bout de sa chaise, ignorant la douleur que lui cause cet effort. Extatique, elle écrase son nez contre la vitre pour admirer le délicat petit visage rosé si paisible dans son sommeil de chérubin. Perdu dans un monde qui n'appartient qu'à lui, le bébé, une traînée de lait au bord des lèvres, sourit aux anges.

La douceur, le calme, la paix intérieure, toutes ces émotions si tendres, si douces que Simone garde en elle depuis si longtemps lui montent à la gorge pendant qu'elle admire le fils de son beau Jacques. Doucement, silencieusement, des larmes de bonheur coulent le long de ses joues, mais Simone ne s'en rend même pas compte.

Soudain, elle sursaute, écarquille brusquement les yeux et pousse un hurlement de douleur et de rage avant de s'écrouler en sanglots hystériques. Incrédule, les yeux exorbités, elle vient d'apercevoir sur le petit carton qui, glissé au pied du berceau, précise le nom et les caractéristiques vitales de son enfant, le liséré rose des petites filles!

DEUXIÈME PARTIE

Une cage s'ouvre

Albert

Samedi, neuf heures. Le campus de l'université est paisible en cette paresseuse matinée de janvier. Dans les immenses parcs de stationnement au milieu desquels se dressent les monolithiques pavillons des facultés, rien ne bouge. De furieuses rafales étalent brutalement les longues traînées blanches de la poudrerie hivernale sur ce lieu de haut savoir. Personne, pas même un joggeur attardé comme on peut encore en voir aux derniers jours de novembre, n'ose s'aventurer dans cette mer de glace.

Empruntant la bretelle de sortie de l'autoroute, une vieille Buick sale et fatiguée s'engage lentement sur le campus. Ses essuie-glace usés ne réussissent qu'à grand-peine à repousser les paquets de neige qui s'accumulent sur le pare-brise. Péniblement, se frayant avec de grands efforts un chemin à travers les bancs de neige qui jonchent le parc de stationnement, la voiture s'approche des bâtiments de la faculté des sciences de l'éducation et s'arrête dans un ultime toussotement de son carburateur encrassé.

Une femme surprenante en descend. Petite, trapue même, elle est couverte d'un ample manteau matelassé décoré de dessins indiens. Sous le capuchon bordé de fourrure, des yeux pétillants d'intelligence brillent dans un visage énergique buriné par l'expérience. Son âge est difficile à déterminer, mais la douce sagesse qui émane de ses traits indique qu'elle connaît la vie. Partie intégrante de ce visage chaleureux, un mégot, qui est en quelque sorte la marque de commerce du personnage, achève de griller entre ses lèvres.

Une serviette usée débordante de documents sous un bras, une pile de livres et de rapports de recherche sous l'autre, la femme, perdue dans ses pensées, se dirige machinalement vers la porte vitrée qu'un garde de sécurité, l'ayant vue approcher, lui tient largement ouverte. À petits pas rapides, elle traverse le stationnement, songeuse, enjambant sans même les voir les congères qui lui barrent la route.

— Bonjour, madame Lecomte, lui lance le garde, comme elle s'engouffre dans le bâtiment.

— Hum... Bonjour, Pierre, lui renvoie-t-elle avec un sourire. Quelle belle journée!

Et Désirée Lecomte, psychologue de renommée internationale et professeur titulaire à l'université, regarde, rêveuse, les portes de l'ascenseur qui se referment sur le merveilleux paysage boréal. Elle vient d'entrer dans le monde fascinant qui la passionne depuis trente ans, celui de la connaissance de l'être humain.

Une bonne odeur de café chaud embaume la salle 1426. Assises sur des tables ou debout, par petits groupes, une quinzaine de personnes y attendent le maître. Ce sont des étudiants au doctorat. Comme tous les étudiants lorsque leur professeur n'est pas là, ils profitent de cette absence pour se raconter leurs petites histoires d'étudiants.

Dans un coin, une mère de famille dans la quarantaine explique à une jeune fille de vingt ans comment elle repique ses bulbes de tulipes au printemps. À côté d'elles, un directeur d'école primaire raconte à un éducateur de centre d'accueil ses plus récents démêlés avec l'administration de sa commission scolaire. Plus loin, trois professeurs d'éducation physique comparent leurs méthodes respectives d'enseignement de la technique du ballon-balai. Sous un écriteau fluorescent qui atteste la très stricte interdiction de fumer que l'université a décrétée dans ce local, un grand barbu à pipe discute avec un psychologue qui tète énergiquement sa cigarette.

Le séminaire de psychologie de l'apprentissage qu'anime chaque semaine Désirée Lecomte est en effet destiné à un auditoire très particulier, celui des mordus. Les étudiants, personnellement sélectionnés par la professeure, sont, pour la plupart, des diplômés, des professionnels actifs, des administrateurs reconnus qui ont décidé de se ressourcer en cours de carrière. Et ils ont choisi de le faire à travers une approche bien spécifique, celle de la modification du comportement telle que l'enseigne Mme Lecomte.

Un léger «ding dong» d'aéroport se fait entendre et une lumière rouge s'allume au mur du quatorzième étage. Les portes de l'ascenseur s'ouvrent dans un feulement étouffé. Désirée s'engage dans le corridor en saluant ses étudiants d'un calme sourire. C'est le signal. Aussitôt, le groupe bruyant s'assagit et entre docilement dans la salle de cours. Désirée s'installe à son bureau. Presque enfouie derrière ses piles de livres et de documents, elle allume une première cigarette et commence:

— La semaine dernière, nous parlions de l'effet du manque de stimulation intellectuelle sur le développement du jeune enfant. André nous en a d'ailleurs fait une description fort intéressante, et je l'en remercie sincèrement.

Tous les regards se tournent furtivement vers l'intéressé, un orthopédagogue de trente-cinq ans qui, flatté du compliment, rougit comme un adolescent. C'est que Désirée Lecomte applique elle-même dans son approche pédagogique les principes qu'elle enseigne à ses étudiants, ceux du renforcement positif. Elle ne critique pas, ne souligne pas les faiblesses, ne semonce ni ne sermonne; bien au contraire, grâce à une discipline intellectuelle qu'elle s'est imposée de longue date, elle ignore tout simplement — mais très systématiquement — les erreurs ou les fautes de ses émules. Par contre, dès qu'un étudiant est dans la note, dès que son intervention fait progresser le groupe, dès que quelqu'un porte la moindre parcelle d'intérêt au débat, la professeure lui accorde illico son attention la plus inconditionnelle et encourage la récidive en soulignant avec enthousiasme la pertinence de la participation. Cette approche donne de remarquables résultats: les étudiants participent activement à leurs apprentissages, les débats sont à peu près toujours intéressants et l'atmosphère positive dans laquelle baigne le travail du groupe devient vite un facteur de stimulation additionnel pour tous.

Ayant entamé son cours sur cette note positive, Désirée poursuit:

— Cette semaine, je crois qu'Isabelle a préparé un exposé qui nous éclairera sur quelques cas d'enfants qui ont souffert de privations physiques et même de cruauté. Ceux-là même qu'on appelle souvent les «enfants sauvages» ou les enfants «en friche». Es-tu prête, Isabelle?

Isabelle Aquin, une mince jeune fille brune, récemment diplômée de l'Institut de psychologie de l'Université de Montréal, ouvre nerveusement la chemise jaune qui se trouve devant elle. Plus impressionnée par la qualité de son auditoire qu'elle veut bien le laisser paraître, Isabelle commence à lire son texte d'une voix mal assurée...

À cinquante et un ans, Désirée Lecomte est une femme totalement indépendante. Elle vit seule. Seule, mais pas solitaire. En fait, c'est elle-même qui a choisi cet isolement. Si elle l'a voulu ainsi, ce n'est pas parce que les occasions de vivre à deux lui ont fait défaut, loin de là! Non, c'est simplement parce que, pour elle, la compagnie constante d'un homme serait une entrave à l'atteinte des buts qu'elle s'est fixés.

Désirée a reçu de ses parents une fortune incommensurable: une instruction sans faille et une éducation intelligente. Pendant que son cerveau emmagasinait les données indispensables à sa survie en société, la petite Désirée développait déjà, à travers les vertus éducatives de son entourage, un système de valeurs qui instillait en elle la soif de savoir. Durant toute sa jeunesse, le besoin d'aller au-delà des apparences, de refuser les croyances aveugles, d'exiger une démonstration claire et logique avant d'accepter une affirmation allait se développer. Et, tout naturellement, lorsque vint l'heure du choix professionnel, la jeune fille se dirigea spontanément vers l'étude scientifique de ce qu'elle considérait comme l'objet le plus grandiose de la création: l'enfant.

Mais la rigueur scientifique que lui imposait son travail de recherche n'empêchait pas Désirée de conserver bien vivante la chaleur humaine qui la rendait si chère à tous ceux qui la connaissaient. Bien au contraire, on aurait dit que la chercheuse compensait l'austérité dont elle devait s'entourer pour mener à bien l'aspect professionnel de sa vie en exagérant volontairement la douceur de ses relations personnelles.

Avec l'âge, Désirée Lecomte avait réussi à si bien harmoniser ces deux facettes d'elle-même qu'elle en était venue à sciemment utiliser sa bienveillance naturelle dans son travail; c'est la raison pour laquelle l'atmosphère de cordialité qui unissait, dans ses cours, les étudiants et leur professeur était devenue proverbiale dans toute l'université. Non pas que cette harmonie vienne nuire au sérieux du travail du groupe, bien au contraire! Désirée, tout en restant un des professeurs les plus exigeants de la faculté, persistait, bon an mal an, à amener le plus grand nombre d'étudiants à leur soutenance.

Sa technique était fort simple: tel un grand général, elle n'exigeait rien de ses étudiants qu'elle ne fasse elle-même. Et ce qu'elle faisait, tout simplement, c'était de s'astreindre à la discipline de l'écriture. Chaque jour que le bon Dieu amenait, Désirée écrivait quelque chose. Ça pouvait être cinq lignes, ça pouvait être vingt pages, mais chaque soir, elle tenait en main un texte. En fait, le système de l'écriture quotidienne obligatoire ne comportait qu'une seule limite: l'été, Désirée se permettait d'arrêter de travailler à midi. Mais comme le système s'appliquait sept jours sur sept et trois cent soixante-cinq jours par année, la règle de la demi-journée estivale de travail ne faisait que correspondre à ce que la majorité appellerait des vacances.

C'est pendant ces demi-journées de «vacances» que Désirée s'adonnait à ses loisirs préférés, la marche et le jeu de go. Adepte quasi fanatique de cet antique jeu de stratégie sino-nippon, Désirée était depuis longtemps membre d'un club français et d'un club américain de go. Elle avait même installé sur le disque rigide de son ordinateur la version la plus récente du meilleur logiciel de go au monde, qu'elle avait spécialement fait venir d'Hawaï.

Mais même quand elle s'envolait pour Caracas ou New Delhi pour assister à un tournoi international de son passe-temps favori, Désirée n'oubliait jamais la règle de l'écriture quotidienne. Elle continuait à produire tout en se distrayant.

Cette singulière capacité d'unir élégamment l'utile et l'agréable avait fait de Désirée une personne si attirante et si en demande que le téléphone sonnait chez elle à toute heure du jour et de la nuit. Et c'est pourquoi elle avait dû se résigner à s'offrir un répondeur téléphonique, bien qu'elle détestât l'impersonnalité de ce genre d'appareil. Pour compenser la froideur de ce contact électronique avec ses correspondants, elle se faisait un strict devoir de rappeler le plus vite possible toute personne qui lui laissait un message.

Déchirant le silence d'un dimanche matin ensoleillé de son horripilante stridence, une violente sonnerie fait sursauter Désirée. «Sacré appareil de m... al-
heur», pense-t-elle en essayant d'ignorer cet assaut
sensoriel.

Son cours de la veille a duré toute la journée.
C'est ainsi qu'elle aime travailler, intensément, sans
répit, sans relâche, et ses étudiants, aussi mordus
qu'elle, n'en attendent pas moins de ce professeur si
particulier. Pas de tire-au-flanc dans ses groupes... Le
phénomène de sélection naturelle a vite fait de les
éliminer!

Installée depuis le lever du jour devant son ordinateur, l'enseignante met la dernière main à un savant
article intitulé «Paradigmatic Behaviorism: A Unifying
Theory» qu'elle veut proposer pour publication à la
revue *American Psychologist*. Dérangée un instant
dans sa concentration par l'agression du téléphone, elle
se replonge aussitôt dans son travail, comptant sur le
fidèle répondeur pour jouer efficacement son rôle. Elle
perçoit vaguement au loin le son du timbre aigu qui
annonce la fin de son message de bienvenue, mais,
perdue dans son monde de «répertoires de personnali-
té» et de «stimuli à trois fonctions», elle n'entend
même pas le message que son correspondant laisse sur
la bande magnétique de son robot parlant:

— Bonjour Désirée. C'est Albert Morin. Eh oui!
C'est bien moi! Il doit bien y avoir quatre ans que je ne
t'ai vue... Rappelle-moi vite s'il te plaît: j'ai grand
besoin de tes lumières... Et de ton aide! Mon nouveau
numéro est le 525-4787... Je répète, le 525-4787... À
bientôt!

Bien sûr, Albert Morin ignorait que cet anodin message allait, plus que tout autre incident de sa carrière, marquer irrémédiablement la vie de Désirée Lecomte.

Il est midi. Un soleil éblouissant réchauffe tendrement le confortable salon de Désirée. Elle a enfin éteint l'ordinateur et elle se dirige lentement vers la cuisinette de son *condo* pour y préparer sa cinquième et dernière tasse de café de la matinée.

Songeuse, elle s'arrête un instant devant le mur de verre qui lui offre le spectacle éblouissant de la ville à ses pieds. Son œil se repose en contemplant les vétustes fortifications recouvertes de neiges immaculées, endormies dans leurs souvenirs de temps plus sereins, les autoroutes, plus récentes, mais déjà si grises, symboles de la folle accélération de tout un peuple, les blanches montagnes aux forêts scarifiées par les pentes de ski et, au loin, dans l'immense stabilité de son éternité, le fleuve argenté qui lutte majestueusement contre l'emprise des glaces. Tout est calme; tout n'est que silence et sérénité. Lentement, une douce émotion envahit Désirée. Elle participe de tout son être à cet instant de recueillement dans son univers, dans le petit havre de paix qu'elle a su créer au sein même de ce monde trépidant qui l'entoure. Elle savoure ce doux apaisement que l'on ressent quand le temps arrête momentanément sa course effrénée.

Perchée sur la bibliothèque, la grosse chatte grise, Capucine, étire langoureusement sa lourde patte velue. Dans un long bâillement paresseux, elle recroqueville sa langue rose. Puis, épuisée par son effort, Capucine referme les yeux.

Lentement, paresseusement elle aussi, Désirée allonge la main vers le bouton du répondeur...

Dans la rue Vincent une petite enseigne de bois blanc faiblement éclairée annonce en belles lettres rouges et vertes la *Trattoria Da Marcello*. C'est très volontairement qu'on a caché le petit restaurant, niché dans une antique maison de pierre, près du port, sous une apparente humilité qui protège les plus beaux fleurons de la gastronomie italienne. Ses propriétaires sont persuadés, de manière quasi superstitieuse, que le clinquant de la publicité est de fort mauvais augure, qu'il nuit à la concentration nécessaire à la préparation de la vraie bonne cuisine et qu'au fond il est très probable, comme l'affirment sans ambages les vieux de leur pays, que celui qui s'enrichit outre mesure attire en même temps sur lui le mauvais sort.

Ce n'est donc pas par hasard que l'atmosphère de la *trattoria* est calme et familiale. Les patrons de l'endroit, d'authentiques Vénitiens, se sont installés au pays vingt ans plus tôt. Dès leur arrivée ils ont ouvert le petit estaminet. Peu à peu, les affaires se sont mises en marche, et le modeste bistrot du début s'est métamorphosé au cours des années pour devenir un des établissements gastronomiques les plus courus de la ville. Mais toujours sans esbroufe, sans autre publicité que le bouche à oreille des clients satisfaits à leurs proches.

Marcello et Cesarina vivent pratiquement dans leur restaurant. Au fond de la cuisine, une petite porte verte cache un escalier en colimaçon qui mène, un étage plus haut, à l'appartement du couple Ghamberri. Mais cet appartement n'a ni cuisine ni salle à manger; tous les repas de la famille sont préparés et consommés dans le restaurant, parmi et avec les clients. C'est la seule façon convenable, au dire des patrons, de s'assurer que leur cuisine est toujours à la hauteur des attentes de la clientèle.

Désirée est une des plus anciennes habituées de la *trattoria*. Le hasard a voulu qu'elle découvre le petit restaurant quelques jours à peine après son ouverture. Depuis, chaque fois qu'elle a envie de se retrouver seule avec un bon livre devant une escalope piémontaise, un bon risotto à l'ail ou des truffes sauce tomate, c'est ici qu'elle vient.

Bien entendu, quand elle reçoit la visite de confrères d'une lointaine université ou de membres d'un de ses clubs de go en vadrouille, Désirée les invite immanquablement chez Marcello pour leur faire déguster la spécialité de la maison, le *giambonetti* au gorgonzola.

L'air est tiède, il y flotte une douce odeur d'ail, de fromage et de vin blanc. Sur la table recouverte d'une nappe à carreaux rouges et blancs et décorée d'un bouquet de fleurs des champs, les bougies plantées dans de vieilles bouteilles de chianti — celles-là même qui, en quelques années, sont passées du rang de méprisables rebuts à celui de vénérables antiquités — créent une atmosphère propice à la confidence. Désirée et Albert dégustent avec délices leur *giambonetti*. Les deux amis ont fini de se remémorer le passé et de se raconter leurs présents respectifs.

Gêné, mal à l'aise, Albert se tortille sur sa chaise comme un enfant d'école. Il l'a pourtant tourné et retourné cent fois dans sa tête, ce moment de vérité, pendant les nuits d'insomnie qu'il lui a causées, mais maintenant qu'il se voit au pied du mur, il ne sait plus comment aborder le sujet si grave qui l'a poussé à renouer avec Désirée. Et il faut que ce soit elle qui, embarrassée à son tour, lui ouvre complaisamment la voie:

— Alors, Albert, ce si terrible secret qui m'a valu de prendre encore un peu de poids ce soir, tu le gardes pour toi, ou tu m'en parles?

Le sourire taquin de Désirée a brisé la glace. Albert hausse les épaules, comme pour secouer un poids. Il inspire profondément et, dans un chuchotement, se jette à l'eau:

— Voilà, commence-t-il, la semaine dernière, j'ai reçu un appel du CLSC* de Saint-Mathias. Un médecin du coin, le Dr Pierre Lalande, demandait que j'intervienne, à titre de DPJ**, dans le cas d'une enfant négligée par ses parents. Je peux bien te le dire à toi, puisque je pense que de toute façon tu vas être concernée par cette affaire, la petite s'appelait Marie Leblanc. Et mon bonhomme avait des exigences très claires: l'extrême gravité du cas rendait ma présence sur les lieux indispensable.

Rasséréné par cette entrée en matière aussi explicite que peu compromettante, Albert allonge la main vers son verre de vin pour y trouver le courage de continuer.

— Le Dr Lalande est un homme sérieux, et je sais qu'il ne me dérangerait pas pour des peccadilles. Mais il faut aussi que je te dise qu'il avait piqué ma curiosité. Le lendemain matin, donc, j'arrive à Saint-Mathias où je rencontre le bon docteur et ses acolytes, le psy-

*   Centre local de services communautaires.
**   Directeur de la protection de la jeunesse.

72

chologue du CLSC et une travailleuse sociale contractuelle; tout ce beau monde s'engouffre dans ma voiture. Direction: la rue Saint-Charles, là où habite l'enfant en question. Ah, ma pauvre Désirée! Tu ne peux pas t'imaginer ce que j'ai vu là. Ça dépasse l'entendement! C'est bien simple, je n'en dors plus depuis une semaine, et pourtant, tu sais que dans mon métier j'en ai souvent vu des vertes et des pas mûres.

Ému par le souvenir qu'il évoque, Albert s'interrompt pour prendre une autre gorgée de vin. Désirée, suspendue à ses lèvres, lui tend sans un mot une cigarette que son vieil ami accepte avec empressement. La flamme du briquet illumine de sa lueur jaunâtre le visage tendu d'Albert.

— Il était presque midi quand nous sommes arrivés à la maison. Avant d'y entrer, j'ai eu la présence d'esprit de demander aux autres de rester dans la voiture pour ne pas effrayer la famille.

»C'était un quartier très pauvre, les maisons étaient presque des taudis, le sol était jonché de déchets, et, même au beau milieu de l'hiver, une drôle d'odeur de crasse mouillée flottait dans l'air. Je me suis avancé tout seul dans la rue jusqu'à la porte que le médecin m'avait désignée.

»Une grande femme rousse dans la trentaine avancée est venue répondre à mon coup de sonnette. Elle portait une robe de chambre de ratine usée, et ses pieds, noirs de crasse, étaient glissés dans de vielles mules déchirées. Manifestement, elle venait de se lever. Les yeux bouffis, les cheveux en broussaille, les plis de l'oreiller encore nettement imprimés sur sa joue gauche, elle avait une cigarette au coin des lèvres et

73

une bouteille de bière fraîchement décapsulée à la main. Dès que je me suis présenté à elle en disant que je venais de la part du Dr Lalande, elle a reculé en titubant pour me laisser entrer.

»Quel spectacle!

»Il n'y avait qu'une seule pièce au rez-de-chaussée. Elle devait servir à la fois de cuisine, de salon et de salle à manger. Au fond de cette pièce, deux escaliers sans porte menaient respectivement à l'étage et au sous-sol. Des hardes — je n'ose pas dire des vêtements: ça n'en était pas — traînaient ici et là, par piles plus crasseuses les unes que les autres.

»Quand je me suis approché de l'évier plein de vaisselle sale, j'ai nettement vu une coquerelle qui se sauvait entre deux assiettes! Sur la table, des restes de nourriture prenaient racine dans une empilade d'assiettes et de chaudrons rongés de crasse. Une odeur répugnante qui venait de la porte entrouverte de la salle de bain me soulevait le cœur.

»Au bout de la table, écrasé dans un fauteuil roulant cassé, un vieillard vêtu de loques d'une saleté repoussante semblait agoniser. Sa tête chauve et plissée pendait sur sa poitrine. Il ne respirait pas... Il râlait.

Albert, la gorge trop serrée pour poursuivre, ferme des yeux pleins de larmes en s'interrompant encore une fois. Sachant bien qu'un grand chagrin se passe de commentaires, Désirée respecte le silence qui étreint son ami, silence d'autant plus lourd qu'il est entrecoupé des bribes de conversations et des éclats de rires qui leur parviennent des tables voisines.

Peu à peu, Albert retrouve sa contenance. Avec un grand soupir, comme quelqu'un qui doit poursuivre jusqu'à la fin un effrayant aveu, il continue.

— La femme m'a tiré une chaise, sans rien dire. Je me suis assis. Je n'avais qu'une chose en tête: l'enfant... Il faut qu'elle me dise où est l'enfant! J'ai commencé à lui parler tout doucement. Elle n'avait pas l'air de me comprendre. Lentement, pesant chacun de mes mots, je lui ai expliqué que des voisins avaient signalé la présence chez elle d'une enfant qui semblait manquer de soins. Elle m'a regardé de ses yeux vitreux, encore pleins des drogues de la veille. Elle oscillait sur sa chaise comme un marin sur son bateau. Moi, je retenais mon souffle, de peur qu'un mot de trop ne vienne éteindre cette petite bluette de communication que je voyais naître au fond de ses yeux. Enfin, après quelques secondes qui furent pour moi toute une vie, un éclair a paru traverser son esprit: «Ah! Marie, a-t-elle péniblement articulé, ah oui... J'pense qu'a dort encore à c't'heure icitte. *Anyway*, est en bas, si vous voulez la voir.»

»Et d'un geste de sa bouteille, elle me désignait l'escalier du sous-sol.

»J'avoue que j'étais assez inquiet. Une collaboration aussi désinvolte de la part de cette femme étrange, sinistre même, me mettait mal à l'aise. Je commençais à sérieusement me demander si une personne aussi troublée pouvait devenir violente. Au fond de moi, je regrettais un peu de ne pas avoir laissé entrer le reste de l'équipe médicale.

»Tendu, tous mes sens sur la défensive, je me suis quand même approché lentement du haut de l'escalier. Je ne quittais pas la femme des yeux, mais elle, elle était retournée à sa bière et ne me voyait même plus. J'ai commencé à descendre...

»Au pied de l'escalier, dans une cave en terre battue où j'avais peine à me tenir debout, j'ai tâtonné quelques instants en vain pour trouver un interrupteur ou une ampoule au plafond... Rien! Alors, j'ai fermé les yeux et j'ai compté jusqu'à vingt. Quand je les ai ouverts de nouveau, j'ai commencé à m'habituer à la lueur blafarde qui sourdait d'un petit soupirail poussiéreux.

»À travers les toiles d'araignées, j'ai distingué la masse sombre d'une fournaise à l'huile dans un coin de la cave. Et c'est alors que ça m'a frappé: j'entendais quelque chose! Je ne pouvais pas clairement définir ce que c'était, mais ça ressemblait vaguement à une chanson. C'était certainement une mélodie, psalmodiée par une voix très faible. Et cet air ne m'était pas inconnu, même si je n'arrivais pas à y mettre un nom.

»J'ai regardé dans la direction d'où venait la voix... Peu à peu, les contours de ce qui me semblait être une clôture de jardin sont devenus de plus en plus nets. Je me suis approché des lattes de bois ajourées. Une immonde puanteur d'égout m'est montée aux narines. J'avais envie de vomir.

»Mais malgré ma nausée, une seule pensée m'occupait l'esprit: l'enfant! Il faut que tu trouves l'enfant. Je me suis accroché aux barreaux et, en me hissant sur la pointe des pieds, j'ai tendu mon menton par-dessus la barricade. Jamais de ma vie je ne pourrai oublier cet instant. Tiens, je t'en parle et j'en ai encore les poils qui s'hérissent.

»Dans une cage de bois de deux mètres carrés à peu près, j'ai vu deux chats de gouttière pelés qui dormaient côte à côte. Au milieu de la cage, assise sur un matelas souillé de ses propres excréments, sans drap ni couverture, une fillette, les yeux fermés. Elle se balançait d'avant en arrière. Ses vêtements étaient sales et déchirés. Ses longs cheveux noirs, raidis par la crasse, pendaient en mottes grasses sur ses petites joues creuses.

»Elle chantait. Elle ânonnait, plutôt, une espèce de mélopée de sa petite voix. Une voix défaillante, mais claire, et juste. Inlassablement, elle fredonnait une phrase, une seule:

Au beau mitan du lit,
Au beau mitan du lit...

Jean-Pierre

Minuit. La ville somnole sous sa lourde chape de neige. La vie semble avoir suspendu son cours jusqu'au lendemain matin. Épuisés par les abus du temps des fêtes, les noçeurs ont délaissé leurs bars favoris qui ferment leurs portes plus tôt que d'habitude. Une à une, les enseignes au néon s'éteignent pour ne laisser flotter dans la rue de l'Abbaye que la lueur blafarde des lampadaires.

Emmitouflé jusqu'aux yeux dans ses fourrures, un couple marche à petits pas. Bras dessus bras dessous, le Dr Antoine Fauteux, médecin psychiatre, et Louise Petit, travailleuse sociale, se serrent l'un contre l'autre pour tenter de partager un peu de leur chaleur respective.

«Cinq ans déjà, pense Antoine. Cinq ans que j'essaie de m'y faire... Mais quelle engeance! Mon dieu que c'est collant une femme. Et pourquoi toujours ce besoin morbide d'affection, de contact physique? On pourrait s'asseoir, tranquilles, parler peu, écouter un bon film à la télé... Mais non, le sexe, toujours le sexe, l'amour, les caresses, les cajoleries.»

Tout à ses réflexions, le docteur en vient à songer à la rencontre du lendemain. Louise sera là elle aussi; il ne faudrait surtout pas qu'elle se laisse encore aller en public, qu'elle insinue, dans toute sa candeur féminine, des choses qui pourraient lui faire du tort. Il lui en a souvent parlé, mais elle est tellement tête de linotte parfois.

— N'oublie pas ce que je t'ai dit pour demain, Louise, souffle l'homme à travers son épaisse barbe noire: personne ne doit se douter de notre relation, pas même notre ami le psychologue.

— Mais non, mais non, mon gros poussin, je n'oublierai rien, comme on dit. Personnellement, j'arriverai à la réunion cinq minutes après toi, et puis je ferai, comme toujours, celle qui ne te connaît pas.

— Louise! tonne le barbu. Je t'ai déjà dit cent fois d'arrêter de me traiter de «poussin»! Tu sais ce que ça donne... Rappelle-toi, l'autre fois, à l'hôpital, quand tu m'a appelé poussin devant Mme Clovisse; elle a failli tomber en bas de sa chaise! Il faut que tu te mettes bien dans la tête que si quelqu'un apprend que nous avons... enfin, que nous... couchons ensemble, ça peut vouloir dire la fin de ma carrière... et peut-être aussi de la tienne!

— Mais oui, mon gros..., mon chou-chou. Je sais, et puis personnellement, je te promets que je serai la plus prudente des Lou-lou. Oh, mon chou-chou, j'aime ça quand tu m'appelles ta Lou-lou. Appelle-moi Loulou, veux-tu, encore une fois...

Renfrogné, l'homme grommelle dans sa barbe pendant qu'ils arrivent à la petite porte de service qui mène à son appartement. Sans un mot, ils montent chez lui par l'escalier d'en arrière.

Dès que la porte est refermée sur eux, Louise arrache son manteau et se jette avidement dans les bras d'Antoine. Il la repousse doucement, presque avec lassitude. Mais les caresses de la femme se font plus pressantes, plus ardentes, et peu à peu, comme il le formulerait sans doute lui-même, la nature du médecin prend le pas sur sa raison.

Le nez plongé au creux du cou de sa compagne, l'homme l'embrasse avec une furieuse passion. Les yeux fermés, la bouche entrouverte, Louise soupire:

— Oui, oh oui, viens, prends-moi, mon Antoine, mon bel Antoine... Mon gros poussin!

La réunion multidisciplinaire a dû être reportée deux fois déjà parce que l'un ou l'autre des membres du comité ne pouvait être présent au jour prévu. Mais en ce matin du 23 janvier, les six personnes qui vont décider de l'avenir de Marie pénètrent dans la salle du conseil de l'hôpital Champlain.

Outre Désirée et Albert Morin, il y a là Stéphane Gervais, éducateur spécialisé, Louise Petit, travailleuse sociale, Jean-Pierre Samson, psychologue, et le Dr Antoine Fauteux, psychiatre et directeur des services professionnels de l'hôpital, un gros barbu rébarbatif dans la cinquantaine.

Dehors, il pleut. Au beau milieu de l'hiver, le ciel crachouille cette petite grisaille mouillée, désagréable et incertaine des tristes matins d'automne. La fraîche humidité de l'air semble passer à travers les murs blêmes de l'hôpital pour en transir les occupants.

Dans une atmosphère feutrée de bâillements étouffés, le groupe s'installe autour de la grande table de conférence en noyer ciré. Au mur, bien assis dans leurs cadres poussiéreux, les anciens administrateurs de l'hôpital observent la manœuvre. Une suave odeur d'encaustique citronné monte du parquet luisant, évoquant des souvenirs d'enfance et de collège dans le cœur des plus âgés du groupe. Dans un coin, les longues feuilles aux pointes brunâtres de quelque dieffenbachies négligées se racornissent.

Assise devant un café noir et fumant, son paquet de Gitanes filtres ouvert à côté d'elle, Désirée sent naître dans son ventre ce léger picotement qui annonce les grands moments d'action. Depuis le repas avec Albert, il y a trois semaines, l'image de la petite Marie ne la quitte plus. Elle n'a pas encore vu l'enfant, mais la description qu'Albert lui en a faite a déclenché en elle une tempête d'émotions contradictoires. Révoltée, rageant devant l'injustice de la vie qui permet qu'une enfant soit si mal traitée alors que d'autres ont tout, Désirée éprouve en même temps une sorte d'exaltation à l'idée d'être celle que le sort a choisie pour aider cette enfant. Et c'est pleine d'énergie et d'espoir qu'elle attend le début de la réunion pour pouvoir proposer au groupe le plan de rééducation qu'elle a préparé pour Marie.

Un raclement de gorge la tire de sa rêverie. Trônant en bout de table, le Dr Fauteux s'éclaircit bruyamment la voix et entame la discussion:

— Nous connaissons tous la raison de notre présence ici ce matin, et c'est pourquoi je couperai court aux entrées en matière et aux messages de bienvenue.

Mais pour mettre au pas les distraits, je vous rappelle que nous avons pour mandat, en tant que groupe, de définir et d'opérationaliser un plan de traitement qui permettra, sinon de guérir totalement la petite Marie, du moins d'alléger un peu ses souffrances. Je me permets de vous rappeler qu'à titre de professionnels, notre mission humanitaire revêt une importance toute particulière, surtout lorsqu'il s'agit d'une malade aussi extraordinaire...

«Il n'a pas l'air de détester s'entendre parler celui-là», pense Désirée.

Le médecin continue:

— Avant d'aller plus loin cependant, et même si, à titre de directeur administratif de cette institution, je me charge de diriger nos débats, je donne tout de suite la parole à M. Morin, directeur de la protection de la jeunesse, qui voudra bien nous présenter brièvement sa version du cas.

Avec un sourire crispé, le médecin hoche légèrement la tête en direction d'Albert.

— Merci, docteur, répond l'intéressé en jetant un regard circulaire sur les autres participants. Depuis qu'on l'a découverte le mois dernier, Marie est officiellement devenue ce que nous appelons en jargon de métier un cas de protection, c'est-à-dire qu'elle est, à toutes fins utiles, sous ma garde. Aussi, étant donné les graves carences qui affligent cette enfant, tant sur le plan de l'hygiène la plus élémentaire que sur celui de son alimentation, j'ai pris sur moi de procéder directement à son admission dans cet hôpital.

»De plus, vu l'extrême gravité du cas, je me suis permis de demander au Dr Fauteux de lui porter une attention toute particulière. Et j'aimerais que ce soit lui qui nous explique maintenant en quelques mots l'évolution de Marie depuis son admission.

Le nez plongé dans un volumineux dossier et jetant de temps à autre de furtifs regards par-dessus ses demi-lunettes de presbyte, le psychiatre récite docilement l'information demandée:

— Aussi étrange que cela puisse paraître, l'état de santé de l'enfant était relativement bon à son arrivée dans notre hôpital. Après une semaine de repos et de soins, elle ne souffrait plus guère que d'une très légère déshydratation qui s'est d'ailleurs résorbée depuis.

»Son alimentation nous pose encore problème cependant, puisqu'elle ne veut pas manger autre chose que des *chips* ou des biscuits. Mais on doit signaler une légère amélioration dans ce sens, depuis qu'elle a avalé, jeudi dernier, une bouchée de purée de pommes de terre et un petit morceau de pain beurré. Je dois également souligner qu'elle se refuse catégoriquement à manger aux heures habituelles de service, ce qui perturbe sérieusement le fonctionnement normal du système de la cafétéria.

»En résumé, donc, tous les tests que nous avons pu faire subir à cette enfant se sont révélés négatifs. Nous sommes même allés jusqu'à lui administrer un électro-encéphalogramme, mais les résultats que nous en avons obtenus se situent dans les limites de la normalité.

»Il n'en va malheureusement pas de même sur le plan psychiatrique. J'ai personnellement évalué les capacités d'adaptation de la petite Marie, et je suis en mesure de vous affirmer sans l'ombre d'un doute que nous sommes ici en présence d'une enfant autistique.

Désirée et Jean-Pierre Samson, le psychologue, froncent les sourcils à l'annonce de ce diagnostic aussi terrible que précipité, mais le médecin poursuit déjà sa tirade, imperturbable:

— L'enfant présente en effet toutes les caractéristiques de cette grave et incurable maladie mentale qu'est l'autisme. Elle n'est pas consciente des sentiments ni même de l'existence des autres. Elle n'imite pas les autres enfants et ne joue pas avec eux. Elle n'essaie même pas de se faire des amis dans l'aile de pédopsychiatrie où elle est actuellement internée. Elle présente un balancement constant du corps de type *rocking* et des tics des mains qui ne laissent aucun doute sur la véracité du diagnostic. Elle sent et renifle tout ce qu'elle touche, comme un petit animal.

»Enfin, sa communication est inexistante. Outre une seule phrase d'une vieille chanson folklorique qu'elle peut fredonner pendant des heures, elle se borne à répéter de façon stéréotypée quelques mots qu'elle a sans doute entendus chez sa mère; et je vous épargne ces mots: ils pourraient offenser les dames ici présentes...

Plus que tout le reste du discours du directeur, cette dernière phrase et l'hypocrite sourire dont le médecin l'accompagne font littéralement sortir Désirée de ses gonds. Sans même demander la parole, elle interrompt brutalement l'envolée du psychiatre:

— Docteur Fauteux! Je ne vous connais pas, mais sachez que je suis présente ici à titre de professionnelle et que j'entends bien y être traitée comme telle! Le sexisme pervers de votre dernière remarque laisse bien mal présager de ma collaboration et de celle de Mme Petit dans ce groupe. Je suis venue à cette réunion pour connaître les faits et pour tenter de trouver une solution aux problèmes de Marie, et je ne vois absolument pas ce que mon sexe vient faire là-dedans!

— Désirée, je t'en prie, intervient un Albert Morin ébahi par la violence de la réaction. Je suis sûr que les paroles du Dr Fauteux ne visaient pas à te blesser et qu'il est prêt à s'en excuser... N'est-ce pas, docteur?

— Mais absolument pas... Euh, je veux dire, absolument!... Enfin, je veux dire... je m'excuse, répond le barbu en rougissant. Je voulais simplement éviter d'abaisser le niveau de nos échanges. Si j'ai pu blesser quelqu'un par inadvertance, et Mme Lecomte en particulier, je m'en excuse très humblement. Et pour qu'il soit bien clair que je n'ai aucune arrière-pensée sexiste, et puisque vous semblez tant y tenir, je précise tout de suite que les seuls mots que Marie se soit bornée à répéter jusqu'à présent sont «pénis dans vagin».

»J'espère que maintenant tout le monde comprendra ma réticence à citer l'enfant dans le texte, si je puis dire. Et de toute façon, je suis sûr que cette information additionnelle nous mettra tous d'accord sur le diagnostic d'autisme que j'ai posé dans son cas. Je compte d'ailleurs traiter cette enfant en lui administrant un nouveau médicament qui...

»Mais je vois que M. Samson a quelque chose à nous communiquer, puisqu'il demande la parole, lui, en levant la main comme c'est la coutume en société...

Cette dernière remarque, ponctuée d'un regard sans équivoque en direction de Désirée, jette encore un peu d'huile sur le feu. Mais la chercheuse se contient, pour ne pas envenimer le débat, bien sûr, mais aussi parce qu'elle a très envie de connaître l'opinion du psychologue qui prend la parole à son tour:

— Merci, docteur. Sans vouloir m'imposer dans le domaine du diagnostic qui relève nettement plus de votre compétence que de la mienne, je me permets toutefois de remettre en cause non seulement la justesse, mais encore la pertinence de votre évaluation des difficultés de cette enfant.

C'est au tour du médecin de sursauter, mais le psychologue poursuit, sans sourciller:

— En ce qui a trait à la justesse de votre diagnostic, je me demande sérieusement si Marie ne souffre pas beaucoup plus d'un manque de stimulation intellectuelle et d'une grave carence affective que d'une maladie psychiatrique incurable. En d'autres termes, je ne crois absolument pas que vous nous ayez démontré qu'il existe chez elle une atteinte organique qui permette d'expliquer son état actuel et de justifier, par le fait même, l'utilisation que vous projetez d'une médication destinée à «soigner» sa «maladie».

»Quant à la question de la pertinence, je conteste énergiquement la nécessité de poser un diagnostic dans les cas de difficultés d'adaptation en général et, à plus forte raison, dans celui des problèmes très spécifiques de Marie. Car au fond, une fois qu'on aura apposé à cette enfant une étiquette de psychotique, de schizophrène ou d'autistique, on n'aura absolument rien fait pour résoudre son problème. Vous, docteur Fauteux, vous aurez sans doute une bonne idée du genre de drogue que vous devrez lui faire avaler, mais je doute fort que sa stabilité émotive ou ses capacités d'adaptation s'en ressentent beaucoup.

Comme une chape de plomb, un silence lourd d'incrédulité enveloppe la fin de l'intervention de Jean-Pierre. Le Dr Fauteux, estomaqué par cette diatribe contre la science médicale, est au bord de l'apoplexie. Louise Petit, pourtant reconnue dans tout l'hôpital pour son stoïcisme et son impartialité théorique, regarde l'orateur avec des yeux exorbités par la surprise et par la crainte... Quel sacrilège! Albert Morin, ébranlé mais essayant de garder la tête froide, se demande anxieusement à quels trésors de diplomatie il devra maintenant faire appel pour orienter le groupe vers une action commune.

Quant à Désirée, elle se retient à deux mains pour ne pas applaudir. Enfin! Quelqu'un qui pense un peu comme elle, quelqu'un qui est prêt à analyser en détail un problème humain avant d'agir à l'aveuglette en administrant des calmants, des antipsychotiques, ou d'autres antidépresseurs. Enfin, un allié sérieux et, à en juger par la virulence de son envolée, assez fort en gueule pour se tenir debout.

Tremblant de rage, le psychiatre se lève. L'œil hagard, il répond d'un ton courroucé:

— Monsieur Samson! Je ne crois pas que vos préoccupations personnelles sur la qualité des services que peut dispenser la psychiatrie aient ici leur place. Marie est actuellement internée dans un hôpital, et à ce titre, elle *doit* bénéficier des services que lui offre la société, comme n'importe quel autre malade. Et soyez assuré que je ferai tout en mon pouvoir pour qu'elle soit traitée équitablement.

Soulignant la fin de son envolée d'un violent coup de poing sur la table, le médecin se rassoit, outré. La tension est à couper au couteau dans la grande salle de conférence. Doucement, presque imperceptiblement, Albert Morin amorce la démarche dans laquelle il excelle, celle qui lui a valu d'accéder au poste qu'il occupe actuellement, celle de la médiation.

— Si je peux me permettre de prendre la parole, docteur Fauteux, j'aimerais souligner, comme vous l'avez si justement fait tout à l'heure, l'importance de la réunion d'aujourd'hui. Nous sommes appelés, de par nos responsabilités professionnelles respectives, à orienter de la meilleure façon possible l'avenir d'une enfant très exceptionnelle. Il est évident que le bien-être de la petite Marie doit en tout temps demeurer notre préoccupation première, que dis-je, notre seule préoccupation. C'est à nous de tout mettre en œuvre afin que ses capacités résiduelles puissent se développer au maximum.

»D'autre part, je me permets de rappeler que le cas de Marie est en quelque sorte un cas d'espèce, et qu'à ce titre il est fort probable que la façon dont nous déciderons ensemble d'intervenir auprès d'elle sera déterminante pour tous les cas similaires d'enfants négligés qui pourraient nous être signalés dans l'avenir. Notre responsabilité n'en est donc que plus grande, et notre besoin d'unifier nos efforts vers le but commun, plus évident.

»Je fais autant appel ici à nos qualités humanitaires qu'à notre conscience professionnelle. Laissons nos querelles d'approches, d'écoles ou de clocher dans notre poche d'en arrière, et ne pensons qu'à cette enfant dont, ne serait-ce qu'en tant que membre de la société, nous sommes tous responsables.

L'intervention du DPJ a produit son effet. Chacun fait son petit examen de conscience, puis, timidement, chacun aventure un regard vers les autres. Louise Petit, la travailleuse sociale, se demande comment elle pourra intervenir de manière à conserver le respect des autres tout en faisant bien sentir au puissant Dr Fauteux, à son «gros poussin» d'Antoine, combien elle l'admire, combien elle l'aime quand il se fâche ainsi. Gauchement, timidement presque, elle se risque à son tour:

— Je ne pourrais pas, même si je le voulais, m'immiscer dans les querelles de clocher de mes savants confrères, comme on dit. Personnellement, je n'ai pas la compétence pour le faire. Et puis, de toute façon, je n'en ai même pas le goût. Quel que soit le diagnostic, ou l'absence de diagnostic, retenu pour Marie, mon rôle ne changera guère. Personnellement, je devrai lui trouver un foyer stable, comme on dit, et puis humain et chaleureux, et qui sera disponible pour l'accueillir. Et puis personnellement, en tant que travailleuse sociale, je n'ai jamais eu à me poser de trop angoissantes questions théoriques, et j'ai pu me mettre au travail dès que j'ai reçu la demande de M. Morin...

La dernière remarque de la travailleuse sociale a quelque peu allégé l'atmosphère. Jean-Pierre a même esquissé un début de sourire de réconciliation à l'endroit du Dr Fauteux qui, perplexe, a très légèrement hoché la tête dans sa direction. Louise Petit, qui n'a d'yeux que pour le médecin, interprète ce geste comme un encouragement à poursuivre.

— Et puis, pour orienter notre rencontre vers l'ef-
ficacité comme nous le conseille très justement M.
Morin, je suggère que nous passions tout de suite à
l'élaboration d'un plan d'action, comme on dit. Pour
ma part, personnellement, je peux vous annoncer que
j'ai déjà identifié une famille, et puis, après une première rencontre, que ces gens sont prêts à accepter
Marie, telle qu'elle est, pour une période d'essai de
trois mois. Il s'agit de Pierre et de Janette Fisette, et
puis de leur fils André, qui a deux ans. Je leur ai parlé
de Marie, et puis ils sont tous d'accord pour l'accueillir, comme on dit. La famille Fisette constitue un milieu très sain. Madame demeure au foyer pour tenir
maison, comme on dit, et puis M. Pierre Fisette est un
homme très bien. Il est propriétaire de sa maison, il a
un emploi stable et il prend bien soin de sa petite
famille. Personnellement, je pense que oui, M. Fisette
est un homme très bien.

Louise Petit a prononcé cette dernière phrase dans
un soupir, avec les yeux au ciel. Mais d'un jaloux
raclement de gorge, son amant la ramène vite à la
réalité. Les yeux fixés dans le noir regard du psychiatre, elle enchaîne:

— Personnellement, il me reste à finaliser la démarche et puis à remplir les formulaires nécessaires,
mais, pratico-pratiquement, Marie pourrait, si le D^r
Fauteux est d'accord, bien entendu, quitter l'hôpital
dès le début de la semaine prochaine.

— Bien sûr, on ne peut pas être contre la vertu,
répond le médecin, sans cesser de fixer la travailleuse
sociale de son regard quasi hypnotique. Mais pour ma
part, ce qui me semble plus indispensable que mon

assentiment, c'est celui de M. Morin... Après tout, c'est lui le tuteur.

— Vous l'avez, mon assentiment, rétorque l'intéressé, et avec joie encore! Je connais bien les qualités professionnelles de Mme Petit, et je suis sûr que si elle a choisi ce foyer, je peux sans crainte aucune lui confier ma pupille.

»Bon, voilà déjà une bonne chose de faite. Et si je n'entends pas d'objection à ma suggestion, j'aimerais que nous nous penchions maintenant sur la question de la rééducation de Marie...

Devant l'approbation tacite que lui transmet le silence encore lourd de conflits mal résolus qui règne dans la pièce, il ajoute:

— Mme Lecomte me disait, avant que ne débute notre réunion, qu'elle avait préparé quelques projets d'intervention. Peut-être serait-il temps qu'elle nous en fasse part.

— Merci, Albert, commence Désirée, satisfaite qu'on passe enfin aux choses sérieuses. J'ai bien réfléchi au cas de Marie. J'en suis arrivée à la conclusion que cette enfant, qui n'a que sept ans et qui me semble très capable d'utiliser adéquatement ses facultés mentales, ne souffre de rien d'autre que d'un grave manque de stimulation.

Le regard sans équivoque que lui lance le Dr Fauteux a tôt fait de ramener le discours de Désirée, qui ne veut surtout pas relancer la stérile polémique des écoles, sur un terrain moins glissant. Elle se penche vers Stéphane Gervais, le jeune éducateur qui n'a pas soufflé mot depuis le début de la rencontre, et lui glisse à l'oreille:

— Enfin, on va pouvoir se mettre au travail.

Puis, jetant un regard circulaire sur le reste du groupe qui n'attend plus que son bon vouloir, Désirée poursuit:

— J'ai mis au point pour Marie un système de réapprentissage basé sur les recherches et la théorie de l'approche behavioriste. Le principe de cette approche est très simple: il consiste à décortiquer en très petites unités d'apprentissage les notions que nous voudrons faire acquérir à l'enfant.

»Parallèlement à la présentation de ces unités de travail, nous tenterons de susciter chez elle une motivation suffisante pour lui permettre d'apprendre, en renforçant — ou, si vous préférez, en récompensant — chacun des efforts qu'elle fera pour assimiler de nouvelles connaissances, de nouveaux comportements. Petit à petit, on peut espérer que ces récompenses deviendront de moins en moins nécessaires, au fur et à mesure que l'enfant trouvera du plaisir dans le fait d'apprendre en tant que tel.

»Concrètement, le système se présente comme suit...

La pluie a cessé. Un faible rayon de soleil réussit même à percer à travers la grisaille. Dans leurs cadres antiques, les vieux médecins suspendus aux murs de la salle de conférence semblent fascinés par les propos de Désirée. Puisant un peu d'énergie, du bout de leur tendres racines, dans les quelques gouttes d'humidité qui stagnent encore au fond de leurs pots, quelques feuilles de dieffenbachies relèvent péniblement la tête.

Une enfant, un univers

Stéphane

Stéphane est un jeune éducateur de vingt-six ans. À l'emploi du centre de jour Les Rochers depuis un an et demi, il a fait preuve d'un tel engagement dans sa tâche et d'une telle conscience professionnelle que ses employeurs lui laissent déjà miroiter la possibilité qu'il soit à brève échéance nommé responsable d'une résidence autonome.

Six mois plus tôt, convaincue que l'avenir professionnel du jeune homme était fermement assuré et qu'il pourrait honnêtement faire vivre une famille, Nathalie Constant, sa petite amie d'adolescence, a accepté de l'épouser. Mais le bonheur de Stéphane n'a vraiment été complet que lorsqu'il a appris, en réponse à l'un des nombreux faire-part que le jeune couple a envoyés à toutes leurs connaissances, que Désirée Lecomte acceptait d'être présente aux noces.

Stéphane est un étudiant de Désirée. Mais il n'est pas n'importe quel étudiant! Benjamin de tous les groupes auxquels il s'est intégré durant ses études, il est, encore aujourd'hui, le plus jeune diplômé de sa faculté. Et à ce titre, il est un peu, il faut bien l'admettre, le chou-chou de son professeur! Est-ce à cause de cette relation privilégiée qu'il a décidé, une fois son diplôme de maîtrise obtenu, de continuer à temps partiel ses études de doctorat? En partie, sans doute. Mais il faut aussi dire que le jeune homme a le feu sacré et que, pour lui, le doctorat en pédagogie ne sera qu'une étape supplémentaire dans le développement d'une carrière destinée aux plus hautes réussites.

Bien sûr, l'attitude de Désirée encourage Stéphane à poursuivre ses efforts. Non pas qu'elle soit moins exigeante avec lui qu'avec les autres, ou qu'elle lui accorde quelques passe-droits, mais il demeure que la professeure est intellectuellement charmée par la grâce et la facilité avec lesquelles son jeune prodige louvoie entre les notions les plus complexes qu'elle exige qu'il maîtrise. Et, avec le temps, Désirée en est venue à considérer le jeune homme comme une espèce de fils spirituel pour qui elle éprouve un attachement profond et auquel elle peut confier sans aucune inquiétude les tâches les plus ardues.

Quoi de plus normal, dans ces circonstances, que Désirée ait spontanément fait appel à Stéphane quand il s'est agi pour elle de trouver un intervenant capable de mener à bien le plan de rééducation qu'elle a conçu pour Marie.

Toute sa vie Stéphane a rêvé du jour où il pourrait enfin travailler auprès de personnes déficientes intellectuelles. Il s'est fait cette promesse le jour où Paul est mort et, depuis, il n'a eu de cesse qu'il n'atteigne son but.

Paul était un enfant trisomique, c'est-à-dire qu'un de ses chromosomes, le vingt et unième pour être plus précis, portait en lui la formule chimique du mongolisme. Un accident de la nature, une légère erreur d'aiguillage de l'ADN, et voilà, un enfant qui aurait pu être tout à fait normal était né avec une profonde incapacité mentale. À l'âge de dix ans Paul trouvait très stimulant de jouer avec Stéphane, son petit frère de quatre ans qui avait eu, lui, la chance de venir au monde avec un bagage chromosomique plus conforme à celui de la majorité des autres enfants.

Stéphane, pour sa part, ne vivait que pour son frère aîné. Paul ne parlait pas beaucoup, peut-être, mais les deux frères se comprenaient fort bien. Et puis, Paul était grand; il pouvait presque sans effort attraper le pot de biscuits que maman avait placé trop haut pour que Stéphane puisse s'y servir à sa guise. Et Paul était fort; si un autre enfant essayait de prendre les jouets de Stéphane quand il n'avait pas envie de les prêter, Paul était toujours là pour défendre son petit frère. Et Paul était doux; souvent, à l'heure de la sieste ou après le souper, papa et maman retrouvaient les deux garçons endormis l'un contre l'autre, Paul tenant son petit frère dans ses bras, comme un gros nounours.

Bien sûr, il fallait faire attention à Paul. Stéphane devait souvent l'aider à enfiler correctement son manteau ou à lacer ses souliers. Maman insistait aussi beaucoup pour que Stéphane ne se balance pas d'un pied sur l'autre en secouant vivement les mains comme Paul avait l'habitude de le faire lorsque quelque chose lui plaisait beaucoup ou, tout simplement, lorsqu'il ne savait pas trop comment s'occuper. Et quand ils jouaient ensemble, Stéphane devait souvent aider Paul à se moucher, ou à essuyer son menton quand, trop excité par leurs jeux, le grand frère en oubliait de retenir sa salive. Non, le meilleur ami de Stéphane n'était ni le plus futé ni le plus beau du voisinage, mais c'était certainement le plus dévoué, et le plus gentil, et surtout... c'était son frère!

Le lendemain de la mort de Paul, Stéphane avait arrêté de parler. Après deux semaines de ce mutisme, les parents, affolés, étaient allés consulter un pédiatre qui leur avait dit de ne pas s'en faire, que leur fils était tout à fait normal physiquement, que tous ses organes phonatoires étaient parfaitement fonctionnels, et qu'ils pouvaient toujours voir un psychologue à ce sujet, mais que, de toute façon, tout rentrerait éventuellement dans l'ordre.

Pas très rassurés par l'optimisme du médecin, les parents avaient alors décidé d'envoyer Stéphane en consultation psychologique. Ce fut une bonne décision. Après deux mois de rencontres hebdomadaires avec le psychologue, l'enfant avait recommencé à émettre quelques mots simples; trois mois plus tard, il parlait de nouveau comme avant.

Mais, pendant ces mois de réflexion silencieuse, Stéphane avait lentement digéré la perte de Paul. Et il avait alors pris une décision irrévocable, celle de se préparer, pendant les quinze années à venir, à travailler avec d'autres Paul; à travailler, bien sûr, en les aidant à tenir une cuillère ou à se moucher, mais, surtout, en s'efforçant de trouver des moyens efficaces pour leur apprendre à faire eux-mêmes ces gestes à la fois si anodins et si complexes.

Dès l'âge de dix ans, Stéphane avait réussi, à travers de patientes recherches dans les dictionnaires et de longs interrogatoires auprès des grandes personnes, à définir assez clairement le genre de travail qu'il voulait faire plus tard pour lui donner un nom précis. Quand, au hasard d'une réunion de famille, ces mêmes grandes personnes demandaient à Stéphane et à ses cousins ce qu'ils voulaient faire plus tard, il laissait les autres répondre «pompier» ou «capitaine», puis, calmement, avec dans la voix cette intensité de celui qui connaît son propre avenir, il répondait: «Éducateur spécialisé en enfance inadaptée.»

L'«appareil» proposé par Désirée pour l'entraînement de Marie est installé dans une petite salle au troisième étage du centre de jour Les Rochers. D'emblée, Stéphane l'a baptisé le «jeu d'apprendre».

Le jeu d'apprendre est une simple table, séparée en deux parties égales par une plaque de bois verticale. Dans cette plaque, une fenêtre rectangulaire permet à Stéphane de faire apparaître des cartes plastifiées sur lesquelles sont imprimées les diverses notions que Marie devra apprendre.

Au cours des premières séances, on lui montrera des images dans la fenêtre; puis, après quelques essais réussis, on se risquera à présenter à l'enfant des lettres de l'alphabet imprimées en majuscules, et enfin, les chiffres, de un à dix. Peu à peu, au fur et à mesure que Marie acquerra les concepts qu'on veut lui faire retenir, Stéphane lui présentera des notions de plus en plus complexes, des syllabes, des nombres, des phrases complètes, des opérations arithmétiques.

Sous la fenêtre destinée à recevoir les cartes, une petite chute en forme de saut de ski permet à l'éducateur de faire glisser des jetons de plastique colorés jusqu'à l'enfant. Pour chaque bonne réponse, Marie recevra un jeton de couleur vive. À la fin de chaque séance d'entraînement, elle pourra échanger les jetons qu'elle aura ainsi gagnés contre de menues friandises en les introduisant dans un trou percé à cet effet à droite de la fenêtre. Ainsi, pour chaque jeton déposé, Stéphane lui remettra une douceur.

Mais Marie pourra aussi, si elle le désire, accumuler ses jetons en les empilant dans des tubes de plastique de différentes hauteurs qui correspondent à des jouets de différentes valeurs. Chaque fois qu'un des tubes sera plein de jetons, Marie recevra le jouet qui y correspond. Ces tubes et les jouets disponibles seront accrochés sur un panneau placé à la gauche de l'enfant. Stéphane, lui, se tiendra à sa droite.

Voici enfin le grand jour. Depuis deux minutes à peine, Stéphane marche le long du grand corridor du troisième étage. Il tient par la main une petite fille de sept ans qu'il rêve de connaître depuis six mois: Marie. Docile, elle a accepté de l'accompagner dès qu'il le lui a demandé, et elle le suit maintenant en chantonnant doucement. Une émotion tranquille envahit l'homme. Enfin, il a rencontré cette mystérieuse enfant dont Désirée Lecomte lui a tant parlé; enfin, il va pouvoir se rendre vraiment utile.

Il se sent sûr de lui, tout à fait capable de faire avec Marie un travail merveilleux. Et tout semble concourir au succès de son entreprise. Désirée est pour lui une véritable inspiration. Son enthousiasme est contagieux, son énergie, dynamisante. Il sait que le système sera efficace. Il ne se contient plus de fierté à la pensée que c'est lui qui aura le privilège d'en faire la preuve.

Les promeneurs sont arrivés dans la petite salle où l'on a installé le jeu d'apprendre. Sur les murs, des affiches aux couleurs vives sont mises en valeur par le radieux soleil qui baigne la pièce.

Stéphane installe Marie sur la petite chaise qui fait face à l'«appareil» et il s'assoit à côté d'elle. Fébrilement, il place la première carte dans la fenêtre et dit:

— Regarde, Marie, c'est un *chat*... Un *chat*.

Marie fixe le dessin d'un regard vide. Puis elle se lève et, boudeuse, va s'asseoir par terre dans un coin de la pièce. Lentement, elle commence à se balancer d'avant en arrière et, de sa main droite, elle porte à son nez une mèche de ses cheveux qu'elle se met en devoir de renifler.

Stéphane se lève à son tour et s'approche de l'enfant. Tout doucement, il s'assoit à côté d'elle et passe son bras autour de ses épaules. Graduellement, il retient le balancement de son corps qui se fait de plus en plus léger, qui diminue au point de complètement s'arrêter au bout de quelques minutes. Pendant tout ce temps, Stéphane lui parle d'une voix rassurante, essayant de l'encourager à revenir à la table avec lui.

Enfin, il dégage lentement son bras et se lève, tendant la main à l'enfant. Elle lève les yeux vers lui, les sourcils froncés. Stéphane sent qu'au fond de cette petite tête qui le fixe intensément un violent questionnement s'installe. Puis Marie baisse de nouveau la tête. Son corps se remet à osciller légèrement. Mais elle s'arrête presque aussitôt et commence à chantonner.

Stéphane se rassoit près d'elle en souriant:

— Mais oui, Marie. C'est bien, nous allons bien nous entendre tous les deux.

Pendant le premier mois, les séances d'entraînement de Marie sont très courtes. L'enfant a de la difficulté à se concentrer plus de quelques minutes. L'attention qu'elle accorde aux tâches que Stéphane lui
propose est presque nulle; il est difficile de l'intéresser,
elle est presque toujours en mouvement. Dès que le
jeune homme lui en laisse le loisir, elle va s'asseoir
dans un coin de la pièce et commence à se balancer en
chantonnant.

Mais Stéphane est un homme très patient... Et le
programme mis au point par Désirée et son équipe de
chercheurs est très efficace.

Petit à petit, un peu malgré elle, Marie apprend.
Bien sûr, au début il ne s'agit que de choses très simples, mais elle apprend! Elle prouve à son entourage
qu'elle est capable de comprendre, d'emmagasiner et
d'assimiler ce qu'on lui enseigne, que son cerveau
n'est pas «malade», comme d'aucuns l'affirmaient il
n'y a pas très longtemps encore. Ses limites, comme
celles de n'importe quel autre être humain, ne sont
faites que pour une seule chose: être dépassées.

Le programme préparé par l'équipe de Désirée
vise d'abord l'apprentissage de concepts. Marie doit
apprendre à reconnaître des objets et à les nommer.
Stéphane présente à l'enfant des images d'animaux et
d'instruments de musique; il les nomme à mesure qu'il
les lui présente et chaque fois que Marie répète correctement le mot qu'il vient de prononcer, il laisse glisser
un jeton dans la chute de l'appareil. Petit à petit, Stéphane devient de plus en plus exigeant; il attend, avant
de la récompenser, que l'enfant prononce spontanément le nom de l'objet en en voyant l'image. Marie

apprend ainsi à conceptualiser et à nommer correctement une certaine quantité d'objets dont elle ne
connaissait même pas l'existence quelques mois plus
tôt. Autrement dit, elle apprend à appeler un chat un
chat!

Appelé à évaluer les capacités intellectuelles de
Marie, Jean-Pierre Samson, le psychologue, est ébloui
par la rapidité des progrès accomplis par la petite: en
cent une minutes d'entraînement, l'enfant a gagné six
ans d'âge mental aux tests d'intelligence standardisés.

Très rapidement, l'équipe d'intervention décide,
devant les surprenants progrès de l'enfant, d'accroître
la difficulté de la tâche. On passe d'abord à deux, puis
à trois sessions de travail par jour. Parallèlement, la
longueur des exercices s'étend à dix, puis à quinze
minutes. De même, le contenu des sessions évolue
avec les progrès de l'enfant.

Les premiers concepts acquis, c'est un Stéphane
enivré, délirant d'enthousiasme qui a téléphoné à Désirée pour lui annoncer l'excitante nouvelle. Ils ont alors
décidé d'un commun accord de commencer l'apprentissage des lettres de l'alphabet.

Après six mois d'entraînement, Marie est capable
de participer au jeu d'apprendre pendant une heure et
demie chaque jour. Bien plus, elle s'implique tellement
dans le jeu qu'il est devenu pour elle une récompense
en soi.

Stéphane propose alors à Désirée d'utiliser le jeu
d'apprendre pour renforcer les comportements appro-
priés de Marie sur d'autres types d'apprentissages. Par
exemple, une séance classique d'apprentissage de
l'écriture donne à Marie le droit de passer quelques

minutes au jeu d'apprendre. La capacité et la vitesse d'apprentissage de l'enfant sont ainsi décuplées, puisqu'une activité d'apprentissage très agréable sert à encourager la participation de Marie à une autre activité perçue comme un peu plus ardue, ou plus rébarbative.

Stéphane pourrait être heureux. Souvent, quand il travaille avec Marie, il pense à Paul si fort qu'il le voit presque devant lui. Il sait qu'il fait ce qu'il a toujours voulu faire, ce qu'il était destiné à faire de toute éternité. Et il devrait se sentir bien, épanoui, serein.

Les réussites remarquables que Marie accomplit chaque jour sur le plan de ses apprentissages sont évidemment pour lui la cause d'une grande satisfaction professionnelle. Et Stéphane sait bien qu'il pourrait se contenter de ces progrès «techniques» et garder bonne conscience, d'autant plus que Désirée ne se gêne pas pour lui témoigner ses chaleureux encouragements.

Mais il lui manque ce sentiment de plénitude, cet exaltant enthousiasme qui vient couronner l'atteinte finale d'un but. Au fond de lui, une insatisfaction demeure. Bien que rien ne l'y oblige, et que tout le monde se dise plus que satisfait de son intervention auprès de la fillette, Stéphane voudrait plus. Il aimerait qu'un lien affectif quelconque s'établisse d'une manière ou d'une autre entre la petite fille et lui. Il voudrait surtout que les sentiments de Marie se manifestent de façon tangible.

Bien sûr, Stéphane a envers elle des gestes tendres, il lui touche doucement le bras, passe le sien autour de ses épaules quand il la sent nerveuse, et même, lorsque l'enfant réussit une session particulièrement exigeante du jeu d'apprendre, il la serre contre lui et l'embrasse. Marie lui rend bien cette affection par les contacts physiques qu'elle recherche auprès de lui. Mais ces manifestations affectives ne satisfont l'éducateur ni sur le plan professionnel ni sur le plan humain.

Élevée dans un milieu où les mots «je t'aime» prononcés avec une folle passion le soir perdaient tout leur sens dès le lever du jour, Marie «aime», comme elle le dit elle-même, indistinctement tous les hommes qu'elle rencontre. Aussi Stéphane ne fait-il que très peu de cas des déclarations amoureuses que la petite, les yeux vitreux, le regard fixe, peut lui faire, comme elle le fait avec à peu près n'importe quel homme.

Marie a en effet une grande facilité, une propension même, à toucher et à câliner tous les hommes qu'elle rencontre. Acquis depuis sa plus tendre enfance, ce comportement de séduction reflète les exemples reçus dans son milieu familial. Ces attachements ne représentent pas pour elle une manifestation de désir ni même d'affection; ce sont des gestes froids, mécaniques. En fait, ce sont les seules façons qu'elle connaisse pour entrer en contact avec son entourage, même si, au fond, elle déteste les hommes. Pour l'équipe soignante cependant — et pour le Dr Fauteux en particulier — ces attachements que l'enfant recherche sont la manifestation d'une tendance profondément pathologique, d'une pulsion sexuelle morbide.

Et Marie n'aime pas les vêtements. Surtout pas les vêtements serrés. La plupart du temps, elle accepte de porter une robe de chambre assez ample pour qu'elle sente le moins possible le contact du tissu sur sa peau, mais dès qu'elle en a l'occasion, elle fait tout pour la retirer. Bien sûr, le personnel du centre a reçu des instructions très strictes à ce sujet, et à deux reprises déjà, les tentatives de l'enfant pour se déshabiller se sont soldées par une confrontation physique avec une meute de blouses blanches qui ont proprement «contrôlé» Marie jusqu'à l'arrivée de la seringue calmante.

Le Dr Fauteux a évidemment utilisé ces épisodes violents pour ajouter à son diagnostic d'autisme irrécupérable celui d'exhibitionnisme pervers, diagnostic que Louise Petit s'est empressée d'approuver avec enthousiasme, sentence à laquelle Albert Morin lui-même n'a pu qu'admettre qu'elle correspondait sans doute à la réalité.

Mise au fait de ces complications, Désirée avait demandé à Stéphane de passer la voir à l'université pour entendre son point de vue.

— Le problème, avait répondu l'éducateur, est que Marie ne sait pas, ou qu'elle ne veut pas, parler. Oh oui, elle répète souvent «pénis dans vagin» — et ça fait bien rire les préposés — mais elle n'est pas capable d'exprimer quelque chose d'original, de parler d'elle-même.

— Absolument! Mais je ne crois pas qu'elle en soit incapable, Stéphane, je crois simplement qu'elle n'a pas encore compris qu'elle peut utiliser les sons qui sortent de sa bouche pour exprimer ce qu'elle ressent en elle. C'est d'ailleurs pour cette raison qu'elle a des comportements si bizarres. C'est pour ça qu'elle se déshabille en public: elle essaie d'obtenir notre attention, mais pas avec des mots. Tout simplement parce qu'elle n'a pas encore compris à quoi servent les mots.

— Mais voyons, Désirée, elle possède toutes ces notions! Nous avons réussi à lui enseigner plus de deux cents mots, et elle nous a prouvé sans l'ombre d'un doute qu'elle peut comprendre ce que nous essayons de lui expliquer... Et ses yeux, Désirée, ses yeux! Quand elle me regarde avec son petit air moqueur, comme si elle savait déjà tout ce que je vais lui dire, comme si elle voyait à travers moi et qu'elle pensait: «Vas-y mon vieux, vas-y, raconte-moi encore tes salades, moi je fais ce que je veux!» Ah, Désirée, si tu savais comme c'est dur de donner toute ton énergie à quelqu'un qui ne te donne jamais rien en retour.

— Mais je le sais, Stéphane, je le sais. Moi aussi je suis passée par là; moi aussi j'ai eu mes moments de désespoir. Mais laisse-moi te dire que le jeu en vaut la chandelle. Ça viendra, un jour, ça viendra. Tu donnes à Marie toute la stimulation dont elle a besoin en ce moment, et je peux te garantir que tu ne le fais pas en vain. Le jour où elle te parlera vraiment, à toi, à toi tout seul, tu oublieras tous ces efforts, tous ces moments d'incertitude...

Mais malgré ces mots d'encouragement, c'est en compagnie d'un Stéphane encore bien ébranlé que Désirée avait soupé chez Marcello ce soir-là.

Souvent, au cours des premières séances du jeu d'apprendre, Marie chantonnait le leitmotiv qui avait guidé Albert Morin jusqu'à elle le jour où il l'avait découverte dans la cave de la maison de sa mère. Aujourd'hui, fasciné par la belle voix de l'enfant, Stéphane l'écoute paisiblement en se demandant si Marie est consciente de sa présence, si elle sait combien il met d'espoir en elle, si elle sent, quelque part au fond de son être, combien elle lui rappelle son frère Paul...

— C'est beau, hein?

Comme un coup de tonnerre dans un ciel de mai, ces simples mots sont tombés, difformes, de la bouche de l'enfant. Incrédule, abasourdi, Stéphane relève la tête. Marie le regarde, ses beaux grands yeux bruns fixant les siens avec une frémissante intensité. Une éternité passe. Sur le visage de l'enfant se superpose celui de Paul qui articule avec effort: «Je t'aime», puis, comme dans un rêve, celui de Désirée qui sourit avec douceur. Doucement, à voix basse, Marie répète:

— C'est beau, hein?

Stéphane, ému jusqu'aux larmes, se penche vers elle. D'une voix tremblante, il répond:

— Oui, Marie, c'est très beau...

Mélanie

Louise Petit flotte dans les brumes oniriques de l'oubli. Elle rêve qu'elle est allongée sur une immense plage de sable rose. Un soleil aveuglant la dore de ses rayons apaisants. L'air est doux, salin. Sortant de la mer, un grand homme brun s'approche d'elle à pas lents. Il est très beau. Une forte barbe, aussi noire que ses yeux, agrémente son visage. Puissant, sûr de lui, il s'allonge à côté d'elle et la prend dans ses bras. Leurs lèvres se touchent, Louise frémit. Mais au moment où Antoine pose la main sur la poitrine offerte de Louise, une agressante sonnerie retentit. Dans un juron, le médecin arrache de sa ceinture le télé-avertisseur importun et le lance au loin. Mais, tapi dans le sable doux, le diabolique appareil continue de sonner sans relâche...

Ouvrant péniblement un œil, Louise allonge le bras en direction du téléphone posé sur la petite table de nuit.

— Oui, allô, articule-t-elle avec peine, d'une voix encore pâteuse de sommeil.

— Madame Petit, s'il vous plaît, de la part de Désirée Lecomte, lui répond la voix alerte de son interlocutrice.

109

— Oui, oui, c'est moi, madame Lecomte. Nous sommes samedi, je crois... Et puis, savez-vous quelle heure il est? Il est à peine neuf heures!

— Je sais, madame Petit, je sais. Je m'excuse de vous avoir tirée du lit, mais c'est une urgence!

— ...

— Je suis à l'hôpital. Je passais dire bonjour à Marie. Je l'ai trouvée dans un état pitoyable. On me dit que depuis deux jours elle ne va plus chez la famille Fisette parce que le personnel infirmier doit la soigner. Elle est couverte de bleus! Ses bras, ses jambes, ses fesses sont striés d'ecchymoses, comme si on l'avait battue à coups de ceinture!!! Elle a énormément régressé. Elle reste assise dans un coin et chantonne. Elle ne reconnaît plus personne...

— Avez-vous appelé M. Morin, madame Lecomte? interrompt la voix terne de la travailleuse sociale.

— Mais non je n'ai pas appelé M. Morin! Pourquoi voulez-vous que j'appelle M. Morin? Je vous dis que Marie est maltraitée, battue sans doute dans la famille Fisette, et vous me parlez de démarches administratives! Marie est déjà légalement un cas de protection. Vous voulez peut-être que je la fasse surprotéger par le DPJ? C'est à *vous* d'intervenir, madame Petit. Et vite! Il serait dangereux de laisser Marie une journée de plus dans cette famille. Croyez-moi! Je l'ai vue...

— Mais enfin, madame Lecomte, vous ne pensez tout de même pas que je vais changer Marie de famille par téléphone! Et puis, personnellement... vous savez... un foyer nourricier qui a un peu d'allure, ça ne se trouve pas sous le sabot d'un cheval, comme on dit. Il faut que j'y pense, que j'organise tout ça, que je me déplace... Et puis, personnellement, nous sommes samedi! Écoutez, madame Lecomte, voici ce que je peux faire pour vous: dès lundi matin, je vous promets de téléphoner personnellement à M. Fisette, et puis d'organiser une rencontre pour essayer de réintégrer en douceur Marie dans son foyer.

— Ne vous donnez pas cette peine. C'est déjà fait! J'ai appelé M. Fisette ce matin pour lui demander des explications. Il m'a raconté une longue histoire, prétendant que Marie est difficile ces derniers temps, qu'il faut parfois la contrôler parce qu'elle est trop nerveuse, et qu'il ne peut plus trouver de gardienne parce que l'enfant perturbe trop les autres membres de sa famille, et particulièrement son fils André. Quand je lui ai parlé des bleus et des traces de coups, il m'a répondu que Marie avait la peau sensible et qu'elle se cognait souvent en jouant! Au fond, vous avez raison... Plus je vous en parle, plus je songe à appeler Albert Morin pour lui signaler l'étrange comportement de ce M. Fisette.

— Mais enfin, madame Lecomte, calmez-vous! Un cas d'enfant légèrement maltraité n'est malheureusement plus une exception dans notre métier... Et puis, personnellement, j'en vois plusieurs par mois. Et puis on voit bien que l'intervention de première ligne n'est pas votre domaine, comme on dit, sinon vous seriez comme moi, blindée. Écoutez, je vais me pencher sur la question dès lundi en arrivant au bureau, je vous le promets personnellement. Et puis, de toute façon, d'ici là la petite Marie n'a rien à craindre, comme on dit: elle est à l'hôpital, n'est-ce pas!

— Madame Petit, je vais vous quitter maintenant, rétorque Désirée sur un ton soudain très calme. Je vais vous quitter sur ce simple avertissement: si demain matin, *dimanche*, je n'ai pas eu des nouvelles très concrètes de votre part, Marie se retrouvera sur le pas de votre porte! Et puis, j'y verrai, *personnellement*, dimanche ou pas dimanche, *comme on dit*!!!

Un claquement sans équivoque indique brutalement à Louise Petit que la conversation est terminée.

— Quelle chipie entêtée! Quelle emm..., ne peut-elle s'empêcher de tonner.

Avec un fatalisme de victime, la vieille fille repousse ses chaudes couvertures pour se diriger vers la salle de bain en se frottant les yeux. Elle se demande encore si cet affreux réveil n'était pas au fond qu'un autre mauvais rêve. Mais non, elle a beau se pincer de toutes ses forces, elle ne parvient pas à sortir de son cauchemar.

«Et puis, pense-t-elle, qu'est-ce que ça peut bien lui faire à cette vieille grue? C'est une enfant perdue, après tout... Et puis, personnellement, qu'est-ce qu'elle a donc à s'acharner comme ça, à toujours la défendre cette petite morveuse?»

Louise se sent lasse. Très lasse. Dans le grand miroir à côté de la douche, elle contemple un instant son corps trop gras, les racines noires de ses cheveux filasse qu'elle doit encore teindre, son visage fatigué, cerné. Les ans lui pèsent; elle se sent usée, à bout de ressources, physiques et mentales, et plus que tout, elle se sent seule. Pour elle, la solitude est synonyme d'ennui, de lassitude constante.

Elle n'a pas choisi cette vie d'ascète sociale, c'est la vie qui a choisi pour elle. En dehors de ses heures de travail, Louise Petit ne voit à peu près personne. Quatre fois par année, à des moments bien précis et immuablement fixés d'avance, elle va visiter sa vieille mère au centre d'accueil, et, bien sûr, quand il daigne avoir envie d'elle, elle voit aussi son bel Antoine, le rêve de sa vie. Quelle merveille que cet homme. Qu'elle a été bien inspirée de s'y intéresser et d'investir tant de temps et d'énergies dans sa séduction.

Car cette conquête, si on peut l'appeler ainsi, ne s'est pas faite sans peine. Pendant des mois, des années même, Louise a dû, pour s'assurer les faveurs du médecin, faire usage de tout ce qu'il lui restait de charme, faire appel aux flagorneries les plus basses et, une fois le psychiatre dans son lit, s'avilir au point d'en perdre le respect d'elle-même pour satisfaire son amant. Son but finalement atteint, Louise n'a pu que constater que, aussi merveilleux que le Dr Antoine Fauteux pouvait lui paraître, il lui restait toujours au fond de l'âme le sentiment d'insatisfaction qu'elle avait si désespérément tenté de fuir en s'attachant au médecin.

La servilité à laquelle elle a dû s'abaisser au cours des ans pour plaire à son homme l'a minée au point qu'elle ne songe plus qu'à disparaître. Mais le genre de disparition auquel elle songe ne fait que la pousser en avant, la stimuler à accomplir un travail qu'elle déteste pour enfin avoir la paix.

Dieu qu'elle la désire cette paix! Ne plus devoir se lever chaque matin pour courir au travail, où elle doit, encore et toujours, résoudre les mêmes histoires d'enfants à faire garder ou à protéger, comme elle le fait depuis des siècles, lui semble-t-il.

Deux ans! Dans deux ans elle aura ramassé, à force de patience et de sacrifices, assez d'économies pour arrêter. Arrêter, tout lâcher, oublier enfin ce monde déprimant des enfants battus et des placements à répétition. Il lui reste encore deux ans de torture mentale, et elle pourra enfin prendre une retraite anticipée pour se lancer en affaires. Elle attend ce moment sublime depuis quinze ans: celui où elle installera, par un radieux matin d'été ensoleillé, une belle enseigne toute neuve sur la façade de *sa* boutique de livres ésotériques; une enseigne qui dira: *Chez Nostradamus — Les clés de la vérité.*

Quand elle aura réussi, quand elle sera devenue ce qu'elle a toujours rêvé d'être, c'est elle qui invitera Antoine dans sa librairie, et, seuls, cachés au milieu de la nuit, ils se feront l'amour couchés sur un tapis de livres de sorcellerie.

Louise retourne vers son lit en traînant ses savates. Bon, bon! Puisque la vieille Lecomte ne veut rien savoir, elle enverra sa protégée dans son meilleur foyer d'accueil, celui des Breton. Comme ça, peut-être que l'autre lui fichera un peu la paix! Peut-être qu'elle la laissera rêver tranquille le samedi matin.

Louise a fermé les yeux. Immense, baigné de soleil, Antoine se penche de nouveau vers elle...

Une agréable odeur de pop-corn au beurre flotte dans la salle de séjour installée au sous-sol de la petite maison de banlieue. Allongées sur un pelucheux tapis jaune, à plat ventre devant un immense bol de leur friandise favorite, Marie et Mélanie, les deux «presque sœurs», comme les parents Breton les appellent maintenant affectueusement, écoutent avec fascination le zèbre Alakazou qui semble sortir du petit écran pour leur expliquer la meilleure façon de traverser une rue.

À l'étage, Daniel et Josée Breton reçoivent à souper leurs amis Serge et Mireille Guertin. Les deux
couples se connaissent de longue date. Daniel a rencontré Serge à l'atelier de fer forgé où ils travaillent
tous les deux comme soudeurs. En parlant ensemble de
leurs femmes respectives, ils se sont aperçus qu'elles
étaient déjà de grandes amies à l'école primaire. Depuis, deux fois par mois, un couple reçoit l'autre, en
alternance, pour des soirées «de bouffe et de Romain
500», comme Daniel les appelle.

Mais ce soir-là, les parents Breton sont un peu
inquiets. C'est la première fois qu'ils tentent l'expérience de laisser les deux fillettes ensemble sans sur-
veillance. Quelquefois déjà, en attendant les invités, un
haussement de sourcils, un geste de la tête de sa compagne ont enjoint Daniel à aller jeter un coup d'œil en
douce au sous-sol. Mais ces discrètes vérifications
n'ont fait que rassurer les parents sur le succès de leur
expérience: chaque fois que Daniel est descendu, il a
trouvé les filles très calmes, assises côte à côte, capti-
vées par le monde fascinant et coloré que le ministère
de l'Éducation n'a créé, semble-t-il, que pour elles.

Daniel n'a pas parlé aux enfants. Il s'est même
arrangé pour qu'elles ne s'aperçoivent pas de sa présence et il les a laissées continuer leurs merveilleux
voyages intérieurs. Une fois, impressionné par la capacité de concentration des petites, il s'est arrêté pendant
quelques secondes en haut de l'escalier pour se demander ce qui pouvait bien leur passer par la tête dans ces
moments-là. Puis, ému par leur calme, il est remonté,
refermant sans bruit la porte du sous-sol.

Dis-moi, Josée, tu ne m'as pas encore parlé de
votre petite protégée... Est-ce que vous en êtes
contents? Il paraît qu'elle a du chemin à faire...

Les hommes sont sortis, apéritif à la main, pour aller inspecter le petit potager que Daniel sarcle quotidiennement avec une passion maniaque. Dans la cuisine, les deux amies mettent la dernière main au plat de hors-d'œuvre dont Josée a minutieusement planifié l'agencement. Se tournant vers sa compagne, une feuille de céleri à la main, elle répond:

— Eh oui, ma chère, c'est tout un bail! Mais on va y arriver. Moi, j'ai un peu de misère avec ça comme tu sais, mais Daniel, lui, il est très à l'aise là-dedans. Il s'occupe d'elle comme si c'était sa vraie fille, et Mélanie à l'air bien contente aussi.

Mireille sait très bien que la «misère» de son amie à accepter la situation vient en grande partie du fait qu'elle ne peut plus avoir d'enfant, la naissance de Mélanie lui ayant coûté sa faculté de procréer; elle oriente donc illico la conversation sur un terrain moins glissant.

— Oui, c'est beau ce que vous faites là. Il n'y en a pas beaucoup qui s'essaieraient comme ça avec une enfant si handicapée. Elle doit avoir des drôles de réactions des fois.

— Oh, tu sais, ce n'est pas un monstre; au contraire, elle est très gentille quand elle veut. Elle a seulement des moments où elle est un peu perdue dans son monde. Ou alors, elle ne peut pas faire les choses comme nous autres. Tiens, l'eau par exemple: elle a une sainte peur de l'eau. Quand elle est arrivée, elle faisait une vraie crise de nerfs aussitôt qu'on essayait de la faire approcher de la piscine. Il fallait la laver avec une débarbouillette, elle ne pouvait pas entrer dans la douche ou prendre un bain. Eh bien, crois-moi

LA CAGE

si tu veux, hier, avec Daniel et Mélanie, elle s'est saucée jusqu'aux épaules dans la piscine! Je pense que c'est un bon point pour nous...

— Mais non! J'te dis que le modèle de l'an passé est bien plus vite que celui de c't'année...

La grosse voix de Serge résonne dans le vestibule. Entrant dans la cuisine, en discutant, les hommes commencent à grignoter dans l'assiette de hors-d'œuvre qui, en quelques secondes, est nettoyée de ces petites touches féminines qui la rendaient si appétissante.

D'un froncement de sourcils, Josée indique à son amie qu'elle aimerait bien qu'on n'aborde plus le sujet de Marie durant le reste de la soirée. Mireille hoche la tête: elle respectera le désir de l'hôtesse... Mais elle se promet bien de revenir aux nouvelles et, devant une bonne tasse de café, un après-midi de semaine quand les hommes seront à l'atelier, d'observer elle-même cet étrange phénomène qu'est la petite fille trouvée.

Dans la tête de Marie, le zèbre Alakazou n'est plus qu'une vague forme en noir et blanc qui s'agite au loin, et, de sa voix aux accents étranges, elle ne perçoit plus qu'un murmure. Marie n'est plus dans le sous-sol, devant le téléviseur du couple Breton. Elle est loin, elle est retournée loin en arrière, dans une autre famille, dans un passé encore tout proche mais que, déjà, elle aimerait tant oublier.

Elle est aux prises avec Pierre Fisette, cet homme «si bien» dont Louise Petit faisait des gorges chaudes au cours de la rencontre du 23 janvier. C'est un gros monsieur bedonnant qui sent très mauvais. Lentement, il s'approche d'elle, une bouteille à la main. Il marche drôlement, on dirait qu'il va tomber à chaque pas. Marie en a un peu peur.

Il vient s'asseoir juste à côté d'elle et pose sa bouteille sur une petite table. Sans prévenir, il étend sa large paluche pour la poser sur ses cuisses et les caresser doucement. Marie n'aime pas ce gros homme et elle déteste qu'on la caresse de cette façon, surtout quand elle a envie d'être tranquille. Alors, plus vive que l'éclair, elle se retourne pour attraper la lourde main poilue et la mordre violemment, du plus fort qu'elle le peut, juste à l'endroit où elle pense faire le plus mal, dans le creux entre le pouce et l'index.

Le gros homme hurle de douleur. Enragé, il se lève d'un bond et gifle l'enfant à toute volée de sa main libre pour lui faire lâcher prise. Puis, quand elle s'écrase à ses pieds, la tête résonnante du terrible coup qu'elle vient de recevoir, il défait lentement sa ceinture avec un sourire méchant...

— Attends ma christ, m'as t'dompter moi...

De grosses larmes silencieuses roulent sur les joues de Marie. Tout doucement, presque timidement, Mélanie, qui l'a vu pleurer, vient s'asseoir contre elle avec tendresse. Elle ne sait pas ce qui se passe, elle ne dit rien; simplement, elle écoute Alakazou, et elle sait que sa grande sœur se sent un peu mieux, qu'elle a un peu moins de peine parce qu'elle est à côté d'elle. Marie essaie, elle aussi, d'écouter Alakazou, mais les pensées se bousculent si fort dans sa tête qu'elle ne peut pas se concentrer sur ce qu'elle regarde.

C'est un homme tout maigre et tout sec qui se penche sur elle maintenant. Il a sur le visage des petites lunettes minces à la monture métallique. Il s'appelle

Mario. Il dit qu'il est l'ami de Pierre Fisette, mais il lui demande toujours de l'appeler «frère». Un mince filet de barbe brune souligne sa mâchoire osseuse. Il porte un costume vert lime et une cravate en cuir bleu ciel; sur sa tête, un drôle de chapeau tout blanc et tout rond.

Marie dort, ou plutôt, les yeux entrouverts dans la pénombre de sa petite chambre, elle fait semblant de dormir. Lentement, presque tendrement, Mario lui soulève la tête. Il glisse autour de son cou une petite chaîne dorée sur laquelle est accrochée une médaille de la Sainte Vierge. Puis il se met à chanter à voix basse une incantation étrange que Marie ne comprend pas, mais qu'elle trouve très amusante.

Et peu à peu, Mario se prend au jeu. Sa chanson, qui aurait pu, au début du moins, passer pour une berceuse, se transforme en une espèce d'hymne qui chante avec le même enthousiasme la gloire de Dieu, de l'abstinence et du capitalisme. Ce sont les mots qu'il utilise que Marie trouve si drôles. Bien sûr, elle ne les comprend pas, mais leur intonation et la façon dont ils sont modulés résonnent à son oreille de manière si burlesque qu'elle n'y tient plus. Incapable de jouer plus longtemps son rôle d'endormie, Marie pouffe de rire au nez du «frère». Surpris, il recule brusquement, s'accroche dans le petit banc de bois où l'enfant couche ses poupées pour la nuit et s'écrase bruyamment, de tout son long.

Marie éclate alors d'un monstrueux fou rire. Debout dans son lit, elle se met à sauter en hurlant:

— Encore! Encore tomber Mario!

Mais Mario, rouge de honte et de rage, a déjà claqué la porte.

Dans la tête de Marie, l'homme a toujours été l'ennemi. C'est lui qui, quand il venait chez sa mère, la forçait à rester enfermée pendant des jours, et parfois des semaines dans sa cage de planches; c'est lui qui la touche toujours aux endroits qu'elle n'aime pas laisser toucher par d'autres; c'est lui qui frappe...

Mais depuis quelque temps, elle sent un changement en elle. Elle a rencontré des hommes qui, comme Stéphane, prennent le temps de lui parler avec attention, avec gentillesse, qui, comme Daniel, sont capables de lui manifester physiquement de la tendresse sans qu'elle se sente mal à l'aise, ou même qui, comme Mario, sont capables — à leur corps défendant — de la faire rire de bon cœur!

Mélanie est heureuse. Elle pense que la bonne humeur soudaine de Marie est due aux pirouettes de Passe-Montagne. D'un bond, elle se lève et se met à danser comme lui pour amuser sa grande sœur. Avec un grand éclat de rire, Marie s'élance derrière la petite dans une farandole qui a vite fait de transformer le sous-sol en un véritable capharnaüm.

Serge et Mireille viennent de partir. Sitôt la porte fermée derrière ses amis, Josée est retournée à la cuisine pour commencer le grand nettoyage. Daniel vient lui donner un coup de main. Tout à coup, intrigué par le silence qui règne subitement dans la maison, il prend sa femme par le bras et l'entraîne vers le sous-sol.

Inquiets, les parents descendent à pas de loup les premières marches de l'escalier. Josée, qui est assez impressionnable de nature, s'attend au pire, au drame. Daniel, qui est descendu plusieurs fois au cours de la soirée, est moins angoissé qu'elle, mais ce silence lui pèse. Il sent la petite main douce de sa femme dans sa grosse patte de soudeur; il la serre un peu, pour la rassurer. Ensemble ils arrivent au pied de l'escalier.

Dans une montagne de coussins, jetés pêle-mêle sur le tapis, couchées devant un écran enneigé qui n'émet plus que son énervant grésillement nocturne, les deux «presque sœurs» sont endormies dans les bras l'une de l'autre. Mélanie, recroquevillée en chien de fusil, dort comme un petit ange. Un mince filet de bave coule au coin de ses lèvres, rappelant à ses parents qu'elle n'est encore qu'un bébé. Et Marie, la plus vieille, dort comme une plus vieille... La tête rejetée en arrière sur les coussins, la bouche grande ouverte, elle émet à intervalles réguliers un halètement chétif, une ébauche de ronflement qui amène un sourire de connivence sur les lèvres des parents.

Avec une douceur qu'on ne soupçonnerait pas chez un homme de cette carrure, aussi précautionneusement que s'il marchait sur des œufs, Daniel s'approche du poste de télévision et l'éteint. Puis, enlaçant tendrement Josée par la taille, il remonte avec elle vers la cuisine.

QUATRIÈME PARTIE

Une cage se ferme

Antoine

— ... Oui, mais moi j'veux la voir. C'est ma p'tite après toute! C'est pour ça que j'vous appelle.

— Mais oui, madame Leblanc, mais oui... Il n'est absolument pas question que vous ne la voyiez pas. Nous nous sommes bien clairement entendues l'autre jour, et M. Morin est parfaitement d'accord: vous verrez Marie, et vous la verrez régulièrement. Et puis, personnellement, tout ce qu'il nous reste à faire c'est de nous rencontrer encore une fois pour décider des modalités de ce premier contact, comme on dit.

— Ouais, ben moi j'm'en sacre ben d'vos «maudalités». Toute qu'est c'est que j'veux c'est de la voir. Madame Petit, vous l'savez pas vous, vous avez pas d'enfant, mais une môman c't'une môman. J'm'ennuie d'la p'tite, comprenez-vous. Ça fait quasiment trois ans que j'l'ai pas vue, pi des fois, j'braille quand j'pense à elle. A fait tellement pitié, pôv'p'tite. Des fois j'me dis: "Mon Dieu, faites qu'y viennent la chercher avant moi. Faites que'que chose pour moi... Vous pouvez pas m'laisser d'même tout l'temps."

— Personnellement, madame Leblanc, je ne suis pas l'bon Dieu, mais je fais tout ce que je peux actuellement, et puis, comme on dit, on ne peut pas aller plus vite que la musique, n'est-ce pas... Et puis, après tout, si vous l'aviez un peu mieux traitée, vous n'en seriez pas là aujourd'hui! Je pense que ça doit faire au moins trois ans que Marie n'est plus avec vous, et puis je n'ai pas eu beaucoup de nouvelles de vous depuis... Où étiez-vous tout ce temps-là, madame Leblanc? Votre petite a dix ans aujourd'hui; personnellement, je me demande bien si ce n'est pas un peu tard pour vous intéresser à elle. Vous savez que vous pouvez vous compter bien chancheuse d'avoir encore le droit de la voir: personnellement, j'ai souvent vu des cas où M. Morin a exigé qu'on retire aux parents le droit de voir leurs enfants parce qu'ils les avaient trop maltraités.

— Pi vous trouvez ça correct vous! Pourquoi qu'y aurait l'droit d'm'ôter ma p'tite c'te maudit-là? C't'écœurant d'ôter un enfant à sa mère. Ça a même pas d'allure. En tout cas, mon *chum* Bobby y dit qu'ça a pas d'bon sens, y dit que j'ai l'droit de m'plaindre pis j'pense ben que c'est ça m'as faire si j'la vois pas ben vite. M'as m'plaindre à police, ou ben à... Ouais, c'est ça! M'as m'plaindre au curé, hostie!... L'église y sont forts eux autres: y sont capab' faire peur à ben du monde...

— Mais voyons, madame Leblanc, voyons, calmez-vous. Puisque je vous dis que vous allez la voir. Tout ce qu'il vous reste à faire c'est de venir me parler à mon bureau cette semaine, et comme on dit, nous arrangerons une rencontre. Et puis, si vous essayez de vous plaindre, comme vous dites, il est possible que vous fassiez fâcher certaines personnes qui pourraient vous empêcher de la voir pour toujours! Personnellement, je ne vous conseille pas de faire trop de démarches dans ce sens. Et puis, vous savez, nous vivons dans un tout petit monde, et c'est toujours plus facile de se faire des ennemis que des amis, comme on dit. Qu'est-ce que vous pensez qu'il arriverait si M. Morin apprenait que vous portez plainte, comme ça, à n'importe qui? Hein? Pensez-vous qu'il serait bien content? Pensez-vous qu'il aurait bien envie d'être généreux avec vous dans l'avenir? Non, madame Leblanc, ne faites pas de geste trop brusque; vous pourriez le regretter par la suite.

— Ben oui. Je l'sais ben qu'vous êtes dans l'vrai, madame Petit. Escusez-moi, j'me suis t'excitée là. J'vous promets que j'me choquerai pus d'même, pus jamais. J'vas aller vous voir si vous pensez qu'c'est ça qu'y faut faire. Moi, toute qu'est-c'que j'veux c'est d'voir ma p'tite. Pis j'vas faire qu'est c'est vous disez.

— Mais oui, madame Leblanc, mais oui. Et puis, personnellement, je suis prête à vous aider, vous le savez, et vous pouvez compter là-dessus.

— Ouais. Mais qu'est c'est qu'a fait de c'te temps-là ma p'tite? Vous, vous l'savez; vous l'avez vue l'aut'fois, vous m'avez dit. Dites-moi don' qu'est c'est qu'a fait... Est-tu ben au moins? A-tu d'besoin d'quoi? L'aut', l'éducateur, Stéphane j'pense qu'y s'appelle, y m'a dit qu'a voulait une montre! Ça s'peut-tu ça? Une montre pour une p'tite fille qui est même pas capab' de parler comme du monde!

— Mais non, mais non, madame Leblanc, ne croyez pas tout ce qu'on vous raconte. C'est bien évident que Marie n'a pas besoin de montre... Vous pouvez lui apporter des petites gâteries si vous voulez, mais pas une montre! Personnellement, je pense que l'équipe de cette Mme Lecomte est un peu farfelue; ils s'imaginent toutes sortes de choses et ils disent que Marie peut les faire... Mais ne vous inquiétez de rien, madame Leblanc, votre petite Marie est très bien traitée. Elle ne manque de rien, comme on dit. Personnellement, j'ai veillé à ce qu'elle soit placée dans une très bonne famille. Et vous pouvez vous compter chanceuse que je sois intervenue: s'il fallait compter seulement sur des gens comme cette Mme Lecomte, je me demande bien ce qui aurait pu arriver à Marie...

— Qu'est c'est vous voulez dire par là, madame Petit? Marie a-tu d'la misère de c'temps-là à cause de c'te femme-là? C'est quoi c't'affaire-là?

— Mais non, mais non, rassurez-vous madame Leblanc, Marie va très bien, je vous le répète. C'est seulement un détail. C'est une «chercheuse», comme elle dit, qui, parce qu'elle est une bonne amie de M. Morin, pense qu'elle a tous les droits, comme on dit. Et elle continue à prétendre qu'elle va rééduquer Marie en la faisant jouer à toutes sortes de jeux pour les enfants. Mais personnellement, elle n'est pas bien méchante sans doute. Elle s'occupe de la petite comme elle peut et, de toute façon, elle ne peut pas lui faire beaucoup de mal, vous savez. Ne vous inquiétez pas, personnellement, je suis là, je veille au grain, comme on dit.

— Ouais, mais pourquoi c'que vous la laissez faire de même c'te femme-là? Faut ben que quéqu'un s'en occupe comme y faut d'ma fille, hein? Qu'est-c'est qu'on peut faire pour ça, madame Petit?

— C'est simple, madame Leblanc, c'est très simple. Et puis personnellement, je m'en occupe, croyez-moi. Le bon Dr Fauteux ne la laissera pas faire comme ça, soyez-en assurée. Je pense bien que grâce à mes interventions le docteur va bientôt intervenir, comme on dit, et qu'il va enfin débarrasser votre petite Marie de l'influence de cette femme. Il existe des moyens, vous savez; au fond, ce n'est pas une Mme Lecomte, toute «chercheuse» qu'elle soit, qui va venir faire la loi dans notre système! Je le connais bien le système: ça fait vingt-deux ans que j'y travaille, et j'en ai vu passer bien d'autres des Mme Lecomte et des techniques bizarres, de toutes les sortes... Non, croyez-en ma vieille expérience, comme on dit, madame Leblanc, Marie ne sera plus très longtemps entre les pattes de cette bande de pédagogues idéalistes. Nous la sauverons, je vous le jure!

— Je l'sais pas c'est quoi des «paidagogidéaliss», madame Petit; j'comprends pas trop ben de quoi qu'vous m'parlez là, mais j'ai ben confiance en vous. Pis j'vous r'marcie ben pour toute qu'est c'est vous faites pour ma p'tite fille. C'est quand qu'vous voulez que j'me rende chez vous déjà?

— Personnellement, madame Leblanc, je pense que... Attendez, oui, j'ai un trou, comme on dit, mardi matin... Si vous pouviez venir me voir vers les neuf heures, ça serait très bien, et puis nous pourrions parler de tout ça entre nous...

En ce dimanche matin, la nature s'éveille en douceur. Deux merles d'Amérique se font la cour sur la pelouse. Une odeur de lilas embaume la banlieue. Vif comme l'éclair, un petit écureuil gris vole sur la terre fraîchement retournée du potager pour bondir toutes griffes dehors sur l'écorce rugueuse d'un grand hêtre chenu. Arrivé au faîte dégarni de l'arbre, il s'aplatit sur une branche et lance à la ronde son stridulant appel.

Sur la terrasse du patio, la famille Breton déjeune dehors pour la première fois de l'année. Assise au bout de la grande table de pin que Daniel a construite de ses propres mains, Marie, bien droite sur sa chaise, savoure un de ces merveilleux pains au chocolat que Josée achète religieusement chaque semaine à la *Pâtisserie des Flandres*. Et elle s'en régale d'autant plus que Daniel, exceptionnellement ce matin-là, a permis aux filles de tremper leurs pains dans son café. C'est un nouveau goût merveilleux que les deux sœurs découvrent ensemble. Le sourire complice qu'elles échangent en dit long sur la fierté qu'elles éprouvent à se voir ainsi traitées en adultes par leur père.

Le déjeuner fini, les enfants s'en vont jouer dans la cour, et Daniel se tourne vers sa femme.

— Quand est-ce qu'ils arrivent?

— Ils devraient bientôt être là. La travailleuse sociale m'a dit vers dix heures. Oh! Daniel, j'espère que ça va bien se passer. J'ai tellement peur de la réaction de Marie. Tu lui as bien expliqué qu'elle restait avec nous après, qu'elle ne repartait pas avec sa mère, hein?

— Mais oui, mon lapin, je lui ai tout dit, et je lui ai même répété qu'elle serait toujours notre petite fille. Je pense qu'elle a compris un peu: elle m'a regardé avec son air concentré, tu sais, les sourcils plissés, comme quand elle essaie quelque chose de nouveau. Après, elle m'a fait un beau sourire et elle est venue me faire une caresse. Je crois bien qu'elle a compris... Oh! je pense que c'est eux...

En réponse au carillon de la porte d'entrée, Daniel se lève pour aller ouvrir. Josée, ne sachant si elle doit le suivre ou aller chercher Marie, s'est nerveusement mise à ramasser les couverts du déjeuner. Dans le carré de sable, les filles fabriquent des petits pains au chocolat.

— Pis d'mandez-y don' si est ben icitte, madame Petit...

Assise dans le grand fauteuil du salon, Marie frissonne dans sa petite robe soleil jaune. Elle était bien dehors, elle avait bien chaud dans le carré de sable, au soleil; mais maintenant la fraîcheur de l'air climatisé l'enveloppe de son humidité artificielle, et elle a froid. Elle fixe avec curiosité les petites boules joufflues de la chair de poule qui recouvrent ses bras.

La femme qui lui parle est trop grasse et elle a l'air sale. Marie ne l'aime pas. En fait, elle lui rappelle vaguement le docteur barbu qui lui soufflait la fumée de sa pipe dans le visage le jour où on l'avait emmenée de la maison de sa mère. Et sa mère. Elle l'avait tout de suite reconnue, même si elle était plus grosse et plus plissée qu'avant. Elle s'était même élancée vers elle quand elle l'avait vue dans le salon tout à l'heure. Pourquoi alors l'avait-elle repoussée en étendant ses bras devant elle, comme si elle ne la connaissait plus? Est-ce qu'elle ne l'aimait plus?... Et pourquoi refusait-elle maintenant de lui adresser la parole? Pourquoi exigeait-elle que ce soit l'autre femme qui lui parle, à elle, sa fille, sa petite Marie?

— Et puis maintenant, Marie, ta maman veut savoir si tu aimes ça ici. Est-ce que tu veux bien me dire si tu es bien avec Daniel et Josée, comme on dit? Est-ce que tu manges assez? Personnellement, est-ce que tu t'amuses bien avec Mélanie? Est-ce que tu aimes bien Daniel et Josée?

Marie ne comprend plus. La travailleuse sociale pose trop de questions, et elles se mêlent dans sa tête en un fouillis inextricable de mots qui ne veulent plus rien dire. Elle l'énerve, cette grosse femme, avec son air condescendant et sa froideur presque physique. Elle sent monter, du fond d'elle-même, le petit tressautement familier qui annonce ce que les grands appellent ses «crises». Mais elle ne veut pas de crise. Elle refuse de céder devant sa mère, devant cette grande femme qu'elle n'aime pas. Au contraire, elle concentre toute son attention sur sa chair de poule, elle se perd dans ce monde étrange des petites bulles sur sa peau. Elle caresse doucement, tendrement presque, ses bras bronzés. Et peu à peu, sans s'en rendre compte, elle ferme les yeux. Son corps commence à suivre le rythme de ses caresses. Lentement, elle se met à se balancer d'avant en arrière, en se frottant le bras. Dans ce balancement, elle retrouve le calme, la paix intérieure, exactement comme elle le faisait quand elle était toute petite et que sa mère l'enfermait dans la cave, toute seule dans le noir, avec les chats et la peur. Elle n'entend presque plus la voix de la grande femme. Marie est bien maintenant, dans son monde de sensations.

D'un geste lent, presque engourdi, elle porte à son visage une poignée de ses longs cheveux noirs et, les collant contre son nez, elle les renifle bruyamment, avidement. Par petits coups secs et répétitifs, elle se sent les cheveux avec une voracité rageuse. Elle se prend au jeu, se perd, s'abandonne à son rituel rassurant. Le bruit lourd de sa respiration saccadée envahit la pièce; Marie se sent bien.

Dans le salon, c'est le désarroi. Marie n'avait plus manifesté de comportements aussi étranges depuis au moins six mois. Josée, les yeux pleins d'eau, tourne un regard désespéré vers le visage de son mari crispé par l'angoisse. Simone, elle, qui n'a jamais connu sa fille autrement, ne semble pas étonnée et, comme elle le faisait par le passé, elle se lève pour partir.

— Asseyez-vous, madame Leblanc!

C'est la travailleuse sociale qui, d'un ton péremptoire, rappelle la mère à l'ordre. Puis, se tournant vers l'enfant, elle hurle:

— Mais enfin, Marie! Est-ce que tu m'entends? MARIE! MARIE! MARIE!!!

Les cris de la femme sont stridents. Ils emplissent les oreilles de Marie et lui brûlent la tête. Affolée par cette agression qui la sort brusquement de son monde d'autocontemplation, Marie se lève d'un bond, le regard vide, tremblant de tous ses membres. Sans avertissement, elle se jette par terre dans un hurlement sauvage. Son corps est secoué par des spasmes violents. Telle une possédée, elle se vautre sur le sol, agitant frénétiquement les bras et les jambes. Elle accroche au passage la table à café qui se renverse, écrasant en mille miettes son chargement de cendriers et de bibelots. Indifférente au maelström qu'elle provoque, Marie, vociférant de peur, se roule dans les débris du carnage. La douleur que lui causent les coupures profondes qu'elle s'inflige en se frottant aux morceaux de verre cassé ne fait qu'augmenter sa panique.

Secouant la léthargie dans laquelle la surprise l'avait momentanément plongé, Daniel se précipite sur l'enfant. Fermement, il la prend dans ses bras et la soulève. Sans un mot, serrant très fort sur sa poitrine la petite qui se débat comme un diable, il l'emmène avec lui à l'étage.

Mélanie, les yeux agrandis par l'horreur, s'est réfugiée sur les genoux de sa mère. Jamais elle n'avait vu sa sœur dans un tel état. Quant à Josée, secouée par la violence de ses sanglots, elle passe les bras autour de sa fille pour tenter de la réconforter.

Plus impressionnée qu'elle ne veut bien le laisser paraître par le drame dont elle sait être la cause, Louise Petit se lève. D'un geste sec et autoritaire qui en dit long sur l'ascendant qu'elle exerce sur Simone, elle intime à cette dernière l'ordre de l'imiter. Sans un mot, sans un regard pour les deux formes sanglotantes recroquevillées dans le fauteuil, Louise Petit quitte les lieux, suivie du véritable chien de poche que Simone est devenue pour elle.

Au milieu des débris qui jonchent le plancher du salon, le sac de bonbons que Simone avait apporté à sa fille gît, éventré...

Il est presque onze heures quand Désirée stationne sa voiture dans le parking de l'hôpital Champlain. L'air est pesant, humide. Pas un souffle de vent ne vient alléger la lourdeur de l'atmosphère. Le ciel n'est pas gris: il est terne. On sait, on sent que les nuages sont là, qu'ils écrasent la terre sous leur masse, mais on ne les voit pas; dilués dans le ciel, ils attendent des renforts avant d'éclater, le soir venu, en un orage d'autant plus violent qu'il ne sera que passager.

En gravissant les longues marches de pierre qui mènent à l'entrée principale, Désirée récapitule mentalement la situation. Le coup de téléphone désemparé de Josée Breton qui lui annonçait le retour de Marie à l'hôpital; son intervention auprès d'Albert Morin qui lui avait confirmé qu'après avoir lu le rapport de Louise Petit sur les graves écarts de comportement de Marie, il se devait de faire «quelque chose»; sa démarche auprès du Dr Fauteux qui faisait qu'elle se retrouvait encore une fois dans cet hôpital lugubre pour y rencontrer le médecin et tenter d'en faire sortir Marie.

Et pourtant, Marie allait bien. Le programme d'entraînement était un succès total, étonnant, bien au-delà de tout ce que Désirée avait pu espérer de prime abord. Jamais, depuis qu'elle travaillait dans le domaine — c'est-à-dire depuis une trentaine d'années — Désirée n'avait entendu parler de progrès aussi prodigieux.

Et parce que Marie s'était énervée, parce qu'elle avait fait une crise, comme tous les enfants en font de temps à autre, il fallait tout oublier? Il fallait mettre aux rebuts ces mois de patient travail et l'interner de nouveau, comme une petite bête sauvage? Il fallait la droguer au point qu'elle ne sache même plus la différence entre le jour et la nuit? Non! Désirée s'y refusait! On ne pouvait pas faire ça, c'était trop inhumain!

Le poste de réception, le va-et-vient constant de l'hôpital, les hauts murs vert sale, les lambeaux d'autocollants de la dernière grève encore accrochés aux vitres, les ding dong à répétition qui signalent les urgences aux médecins: Désirée traverse tous les obstacles comme un zombie. Rien ne la touche. Elle n'a dans la tête que ses réflexions, et au cœur, que ses sentiments où se mèlent colère, impuissance et désespoir. Perdue dans ses pensées, elle sort de l'ascenseur et se dirige, par réflexe, sans même s'en rendre compte, vers l'aile psychiatrique.

Une infirmière de fort calibre l'attend au poste. Désirée s'identifie. Elle explique qu'elle a rendez-vous avec le Dr Fauteux, mais qu'elle aimerait aussi rencontrer la petite Marie si c'est possible... Ça ne l'est pas, lui rétorque-t-on. Le règlement de l'hôpital ne prévoit pas ce genre de visite. «Seuls les membres de la famille, ou les personnes expressément autorisées à le faire par le médecin traitant, peuvent rencontrer les patients.»

Lasse de se faire réciter le règlement de l'hôpital par l'infirmière, Désirée s'assoit le long du mur, sur une des petites chaises métalliques qui meublent la salle d'attente, et elle tente de se plonger dans la lecture d'une revue. L'ultime régime amaigrissant, la phénoménale réussite d'un grand industriel, les étapes majeures de la conquête de l'espace, même les mots croisés de la semaine... Rien ne retient son attention. Quand le Dr Fauteux se présente cinq minutes plus tard, Désirée se lève comme une balle, tendue, anxieuse presque.

— Bonjour, docteur. Je vous remercie d'accepter de me recevoir si vite. Comment va notre petite Marie?

— Ah! Madame Lecomte! Quel plaisir de vous revoir. Mais passez donc dans mon bureau, je vous en prie, nous y serons plus à l'aise pour parler de tout cela.

Méditant sur l'authenticité du plaisir que le médecin éprouve soudain à la revoir, Désirée le suit dans le couloir. C'est un long corridor sombre avec une porte à tous les deux mètres. Derrière chacune, on devine la souffrance de l'être humain qui y est enfermé, calmé, contrôlé... contenu. D'une grande porte double aux vitres opaques qui ferme l'extrémité du corridor, des gémissements parviennent aux oreilles de Désirée.

Brusquement, le Dr Fauteux sort de la poche de son sarrau blanc un trousseau de clefs, ouvre la porte de son bureau et s'efface pour laisser entrer Désirée. L'enseignante est aussitôt surprise par l'austérité des lieux: là où elle s'attendait à trouver l'opulence d'un bureau de directeur, elle ne voit que les signes d'une parcimonieuse sobriété. Deux chaises droites, même pas rembourrées, font face à un bureau de bois qui n'est en réalité qu'une table. Deux murs entiers sont couverts par d'imposantes bibliothèques qui regorgent de volumineux ouvrages médicaux. Au fond de la pièce, derrière la chaise du médecin, une fenêtre, si crasseuse qu'elle laisse à peine filtrer la lumière, découpe son pâle rectangle dans le mur.

Étonnée par ce décor si austère, Désirée s'assoit sur la chaise que le psychiatre lui désigne de la main.

— Installez-vous, madame Lecomte, je vous écoute...

— Eh oui, docteur, soupire l'intéressée en s'efforçant de sourire, me revoici. J'espère que je ne vous ai pas trop manqué, ajoute-t-elle dans une vaillante tentative pour alléger un peu l'atmosphère.

— Mais oui, vous m'avez manqué, si ça peut vous faire plaisir... Je ne sais pas pour vous, mais en ce qui me concerne, mon temps est précieux. Je vous demanderais donc d'aller au plus pressé et d'oublier les balivernes et les enfantillages.

— Vous avez bien raison docteur, reprend Désirée, à la fois choquée et stimulée par le manque de courtoisie du médecin. En deux mots, je viens vous rencontrer pour savoir ce que vous comptez faire de Marie. J'ai appris qu'elle était de retour chez vous. Les parents Breton m'ont même affirmé que vous avez fait augmenter sa médication au point qu'elle en somnole toute la journée. Je veux savoir de votre bouche quand elle pourra rentrer chez elle, quand je pourrai reprendre le travail avec elle et quand vous comptez réduire de nouveau la quantité de drogues que vous lui faites avaler!

Il n'y a plus d'incertitude chez Désirée. Complètement ressaisie maintenant, elle n'a plus qu'une idée en tête: faire sortir Marie de sa prison médicale. Que lui importe le choix des mots ou l'opinion que le psychiatre pourra garder d'elle? L'important c'est que la petite récupère ses facultés mentales.

Mais le médecin n'apprécie guère ce qu'il considère comme un manque de respect envers lui et, à travers lui, envers toute la profession. Hargneux, il rétorque:

— Madame Lecomte, je vous répète que cette enfant est mentalement malade. Rien ni personne n'y peut quoi que ce soit. Elle a besoin de toutes les ressources que la science médicale peut lui apporter, et vos petites expériences pédagogiques, si mignonnes soient-elles, ne peuvent absolument rien contre ça! Tant que je serai directeur des services professionnels de cet hôpital, l'enfant restera sous nos soins, et nous tenterons au meilleur de notre connaissance d'atténuer ses souffrances.

— Écoutez-moi, Docteur Fauteux: je ne remets absolument pas en cause vos compétences professionnelles, je ne doute même pas que, dans les cas de maladies mentales graves, vos techniques d'intervention puissent être relativement efficaces, quand il n'y a plus rien d'autre à faire. Je vous demande tout simplement et très humblement de considérer le cas de Marie dans son ensemble. C'est une enfant qui a tellement manqué des stimulations les plus élémentaires qu'elle n'a jamais eu la chance de se développer normalement. Elle a passé les sept premières années de sa vie dans une cave noire avec des chats pour seuls compagnons de jeu. Comment voulez-vous qu'elle puisse aujourd'hui se comporter comme une petite fille de son âge? Et comment voulez-vous de surcroît qu'en la droguant on puisse espérer une amélioration de son comportement?

— Oh! ne vous inquiétez pas, madame Lecomte, son comportement s'est grandement amélioré! Depuis qu'elle est avec nous, cette enfant, qui faisait régulièrement des crises de nerfs chez ses parents d'adoption, n'a pas dit un mot plus haut que l'autre. Elle est parfaitement contrôlée... Mais jugez-en plutôt par vous-même... Entrez!

On a frappé à la porte du bureau et, sur l'ordre du psychiatre, elle s'est ouverte pour laisser le passage à une jeune et mince infirmière qui tire par le bras une Marie méconnaissable. Vêtue de la traditionnelle «jaquette» d'hôpital, les cheveux en broussaille, elle jette à la ronde des regards perdus.

Aussitôt, Désirée se précipite pour serrer l'enfant dans ses bras. Sans un mot, la gorge nouée par l'émotion, elle presse Marie sur son sein avec toute l'intensité dont elle est capable. Amorphe, l'enfant se laisse faire sans réagir. Le docteur lève silencieusement les yeux au ciel et pousse un inaudible soupir de lassitude.

Il en a tellement vu de ces scènes déchirantes où les sentiments humains s'acharnent à nier l'inéluctable, de ces mères en larmes si affectées par le terrible diagnostic qu'il faut leur administrer des calmants à leur tour. Il la vit quotidiennement cette profonde détresse humaine, cette misère totale qui brise irrémédiablement les individus et les familles. Le Dr Fauteux n'est pas un homme méchant; bien au contraire, il a choisi sa profession pour tenter d'alléger les douleurs de ses semblables! Devant le pitoyable spectacle qui s'offre à ses yeux, il se souvient des premiers mois de sa pratique où il rentrait chaque soir chez lui au bord des larmes, racontant à sa femme toutes les souffrances qu'il avait vues dans la journée.

Mais il chasse bien vite ces pensées malsaines. Il lui a fallu tant d'énergies pour se bâtir le blindage psychologique derrière lequel il se réfugie lorsque la pression est trop forte et qu'il a parfois peur, comme aujourd'hui, que sa carapace cède et qu'il éclate en une cataracte de larmes. Non! Il ne peut pas, il ne doit pas flancher! Il a accepté la lourde responsabilité de soigner les malades et il ira jusqu'au bout, quitte à devoir y perdre un peu de son humanité. Plus il considère la question, plus il se rassure lui-même sur la justesse de son attitude: Marie est une enfant terriblement malade, c'est bien triste, mais son rôle de médecin l'oblige, justement, à la soigner au mieux de ses capacités. C'est ce qu'il doit faire, Désirée Lecomte ou pas!

Désirée accompagne Marie jusqu'à une chaise sur laquelle elle l'aide à s'asseoir. Les yeux gonflés par le chagrin, elle fouille dans son sac à main pour en sortir un petit paquet enveloppé de papier coloré qu'elle tend à l'enfant.

— Tiens, Marie. Regarde. Je t'ai apporté quelque chose que tu vas bien aimer je pense. Est-ce que tu veux l'ouvrir?

Marie regarde droit devant elle, le regard fixe. Elle ne se rend même pas compte qu'on lui parle. Ravalant une salive épaisse, Désirée s'assoit à son tour et se met en devoir d'ouvrir elle-même le cadeau. Avec des gestes mécaniques, elle déchire le joli papier bleu qu'elle avait choisi et découpé avec tant de soins quelques heures plus tôt. Elle ouvre la petite boîte oblongue et en sort une montre-bracelet. Sur le boîtier, un Mickey Mouse tout sourire fait patiemment tourner ses mains gantées de blanc au rythme du temps qui passe. Désirée pose la montre sur les genoux de Marie et, doucement, étouffant les larmes qui lui nouent la gorge, elle lui demande:

— Dis-moi, Marie, tu te souviens de Stéphane? Tu te souviens? Quand vous regardiez l'horloge ensemble... Tu aimais ça! Tu étais bonne là-dedans, l'heure... Tu sais bien lire l'heure maintenant: Stéphane me l'a dit, tu sais...

— Madame Lecomte, je vous en prie, l'interrompt le Dr Fauteux, cette enfant ne vous entend même pas! Arrêtez donc de la harceler comme vous le faites. Ça ne donnera rien, et vous allez la fatiguer inutilement.

Désirée se tourne vivement vers le psychiatre. Elle a dans le regard cette lueur de rage mal contenue qui annonce chez elle les grands éclatements. Mais comme elle ouvre la bouche pour cracher sa rancœur au visage du médecin, une voix très faible laisse tomber:

— Onze... heures et... dix.

Le docteur se lève, d'un bond. Désirée, un sourire de triomphe aux lèvres, se tourne vers Marie qui a baissé les yeux pour regarder la montre posée sur ses genoux. Contournant le bureau, le médecin se plante devant l'enfant et, prenant son menton dans sa main, lui relève la tête pour la fixer droit dans les yeux:

— Marie! Tu sais lire l'heure! Tu ne m'avais jamais dit ça!

L'enfant soutient sans sourciller le regard noir du médecin. Dans un intense effort, sa bouche engourdie s'ouvre lentement et d'une voix pâteuse, elle répond:

— Toi... Té t'un câlice...

Estomaqué, le médecin recule sous le choc de l'injure. Le visage empourpré par la colère, il regarde Désirée avec des yeux exorbités et lui jette au visage:

— Vous voyez bien qu'elle est psychotique!

Désirée

Une avalanche d'émotions se bousculent dans le cœur de Désirée tandis qu'elle arpente au hasard les petites rues serrées de la vieille ville. Les ombres s'allongent, s'épaississent; la nuit tombe rapidement. Une à une, les fenêtres s'allument; les lampadaires clignotent un instant, puis leur lumière blafarde jette un chapelet de cernes jaunes sur la rue. L'air est plus frais, plus léger. Une lune immense pointe timidement sa face blême dans un ciel encore tout rosé.

Dans les rues, la faune urbaine se métamorphose: les gens d'affaires pressés, les fonctionnaires blasés, les touristes émerveillés sont graduellement remplacés par le troupeau des fêtards nocturnes. Les magasins ferment leurs portes, les bars ouvrent toutes grandes les leurs. Une horrible musique composite faite de tous les rythmes bizarres qui s'échappent des cafés suinte des murs. L'atmosphère est à la fête, à l'orgie, à la célébration très païenne de cette chaude nuit d'été.

Mais pour Désirée, pas de fête! Hantée par le petit visage défait de Marie, elle erre à travers la foule des passants sans même les voir. Les sourcils froncés, les yeux rougis de chagrin, elle laisse sans pudeur rouler sur ses joues de grosses larmes chaudes et muettes. Elle marche par réflexe, par habitude, elle marche pour essayer de ne plus penser. Mais c'est en vain. Toujours, la même question obsédante revient lui tarauder l'esprit: «Que puis-je faire?» Et le même désespoir la déchire quand la réponse y est toujours, inéluctablement, la même: «Rien... Absolument rien!»

Deux jours plus tôt, sur les conseils de son ami Albert Morin qui se disait lui aussi à bout de ressources, Désirée s'était de nouveau présentée à l'hôpital Champlain. Mais cette fois, elle avait décidé de s'adresser à Dieu plutôt qu'à l'un de ses saints.

Elle avait obtenu un rendez-vous avec René Lasnier, le «grand chef», l'autorité suprême, le directeur général de l'hôpital. Comme Albert lui avait glissé à l'oreille que le Dr Lasnier aimait les femmes bien mises, Désirée avait décidé, bien que cet avilissement lui répugnât au plus haut point, de jouer son va-tout et d'utiliser toutes les armes que la société mettait à sa disposition.

Classiquement vêtue d'un élégant petit tailleur gris souris, les cheveux fraîchement mis en pli, sobrement maquillée même, c'est une Désirée toute pimpante qui avait de nouveau traversé les longs et sombres corridors de l'hôpital. Mais ce jour-là, fière de l'effet qu'elle faisait sur le personnel ébahi, elle était pleine d'un espoir renouvelé dans le succès de sa démarche.

En sortant de l'ascenseur, au neuvième et dernier étage, celui de la haute administration, elle avait croisé le Dʳ Fauteux... Il en avait presque échappé sa pipe de stupéfaction.

Une heure plus tard, Désirée était repartie, le veston du tailleur sur le bras, et le désespoir dans l'âme.

Le Dʳ Lasnier lui avait d'abord expliqué en long, en large et en travers comment on dirigeait un hôpital, combien il était ardu de naviguer judicieusement à travers toutes les politiques, les directives et les procédures, de se faufiler avec discernement entre les clans, les cliques et les «écoles», de ménager aussi bien la chèvre du professionnalisme que le chou du syndicalisme et, enfin, de réussir à soigner, bon an mal an, quelques milliers d'êtres en souffrance.

Il lui avait ensuite fait valoir que le «système» de rééducation qu'elle avait mis au point, s'il pouvait présenter quelques avantages mineurs, exigeait en contrepartie un tel investissement d'argent, de ressources et de personnel qu'il en devenait pratiquement inutilisable. Il avait bien insisté sur le fait que les budgets de recherche de Désirée étant épuisés, les fonds alloués à cette «entreprise» de réadaptation devraient dorénavant être pris à même le budget de l'hôpital. Il aurait donc à en assurer la gestion la plus saine possible.

Il avait même affirmé que la rééducation de Marie commençait à faire des jaloux dans le personnel et qu'il avait entendu dire entre les branches que le syndicat songeait sérieusement à mettre son nez dans cette histoire. Et des histoires avec le syndicat, le Dʳ Lasnier n'en voulait pas!

Puis, devant une Désirée défaite d'ahurissement, le directeur général s'était lancé dans un éloquent éloge du Dr Fauteux, un homme «d'une exemplaire probité personnelle et professionnelle», un médecin de haut calibre, une sommité dans sa spécialité et, de surcroît, un excellent administrateur, qui, malgré certaines bizarreries comportementales, comme celle de refuser d'avoir son bureau à l'étage de l'administration, savait mener de main de maître les dossiers les plus rébarbatifs.

Que cet éminent médecin ait parfois à prendre des décisions difficiles, ça faisait partie de son travail. Que ces décisions soient parfois plus ou moins justes, plus ou moins bien éclairées, plus ou moins pertinentes, c'était la rançon de la nature humaine. Et que son supérieur hiérarchique, en l'occurrence le Dr Lasnier lui-même, doive lui faire confiance dans ces moments délicats et ne pas s'immiscer dans les prérogatives professionnelles de son brillant subalterne, ce n'était que la moindre des choses!

C'est à ce moment-là que Désirée avait compris que la partie était définitivement perdue. Accablée par cette constatation, elle avait à peine écouté le directeur qui terminait son argumentation par une apologie de la psychiatrie, une science qui, grâce à son système de classification des maladies mentales, permettait d'étiqueter avec précision les aberrations les plus déconcertantes; une science qui, grâce précisément à cette savante technique d'étiquetage, pouvait générer à profusion des postes d'infirmières et de médecins pour soigner, justement, les personnes étiquetées; une science qui, enfin, grâce cette fois à la pharmacothérapie, permettait de nourrir certains espoirs de rémission dans les cas des plus graves maladies mentales.

Épuisée, totalement abattue devant le fanatisme du médecin, Désirée n'avait même plus eu la force de rétorquer, comme elle l'avait fait des centaines de fois déjà, que Marie n'était pas malade, qu'elle n'avait besoin que d'un peu de compréhension, de beaucoup d'affection et d'une technique de rééducation efficace. Péniblement, elle s'était alors levée, avait poliment remercié le médecin de lui avoir accordé quelques minutes de son précieux temps, et était sortie.

Dans l'ascenseur qui la ramène au rez-de-chaussée, Désirée se sent vide. Elle a l'impression d'avoir essayé d'enfoncer un mur de briques avec sa tête et d'en garder les séquelles. Elle ne raisonne plus, elle n'est qu'un monceau d'émotions douloureuses, exacerbées. Étourdie de douleur, elle sent ses jambes flageoler.

Soudain, mue par une irrésistible impulsion, elle appuie sur le bouton du cinquième étage, celui de l'aile psychiatrique. Docile, l'ascenseur ouvre silencieusement ses portes et Désirée s'engage dans le couloir.

Lentement, à pas feutrés, elle se dirige comme une voleuse vers le poste des infirmières. Au coin du corridor, elle se cache contre le mur pour jeter un coup d'œil vers le poste. Personne! L'infirmière de garde est sans doute dans une chambre...

Tremblant à l'idée du scandale qu'elle provoquerait si on la découvrait ainsi dissimulée, Désirée s'engage d'un pas vif mais toujours silencieux dans le couloir qui mène aux chambres. Doucement, comme si elle ne voulait pas vraiment qu'on l'entende, elle frappe à la porte de la chambre 704. Comme elle s'y attendait, elle ne reçoit aucune réponse. Avec d'infinies précautions elle tourne la grosse poignée de cuivre et pousse la porte.

Marie est allongée sur le lit. Elle semble dormir, mais sa respiration est rauque et laborieuse. Lentement, Désirée s'approche. L'enfant, les yeux fermés, ne bouge pas. Ce n'est que lorsqu'elle arrive à côté du lit que Désirée constate avec horreur que les poignets de la petite sont attachés aux montants métalliques. Elle lève les yeux vers la fenêtre: une grille faite de barreaux de prison y est cadenassée.

Désespérée, Désirée sent qu'elle va défaillir. Elle a l'impression que les murs de la pièce s'allongent, puis qu'ils se mettent à tourner, de plus en plus vite. Affolée, elle se précipite vers le petit lavabo dans un coin de la chambre et s'asperge le visage à grande eau. La fraîcheur du liquide la calme un peu. Elle retourne auprès du lit et s'assoit sur une petite chaise droite.

Éperdue, elle sent que sa raison vacille. Elle ne sait plus ce qu'elle fait là, assise à côté de cette enfant attachée sur son lit.

Tout d'un coup, Marie ouvre les yeux. Elle fixe un instant le plafond. Aucun muscle ne bouge dans son visage. Lentement, sans tourner la tête, elle regarde à droite, puis à gauche. Quand Désirée entre dans son champ de vision, ses yeux se plissent; elle fronce légèrement les sourcils, comme quelqu'un qui essaie de se souvenir de quelque chose. Mais elle ne bouge toujours pas.

Désirée, au bord de l'affolement, n'ose pas bouger elle non plus. Une éternité passe. Le regard intense de Marie est lourd de reproche, insoutenable. Puis ses lèvres s'entrouvrent avec effort, douloureusement: Dans un souffle, elle dit:

— T'es capab'me faire' sortir. Y trippent ceux qui sortent.

Il est cinq heures du matin dans la vieille ville. Les premières lueurs de l'aube ne réussissent pas à percer la couche de gros nuages noirs qui s'est amassée dans le ciel durant la nuit. Deux chats, engagés dans un combat à mort, hurlent leurs souffrances à la ronde. Les fêtards sont allés se coucher; ceux qui ont fait le plus d'excès se sont tout simplement endormis sur le trottoir, dans quelque encoignure de porte cochère, pour y cuver leur vin. Une petite pluie fine commence à tomber dans la grisaille.

Désirée marche encore. Elle ne pleure plus maintenant, mais elle continue de marcher. Elle sait qu'il est inutile pour elle d'aller se coucher: elle ne dormira pas.

Épilogue

Et comme d'habitude, le temps a passé,
Et personne n'y a plus pensé...

J.-R. Caussimon

L'histoire doit-elle finir comme la chanson, et Marie, retourner à l'oubli d'où elle venue? C'est au lecteur de juger, d'écrire la fin de l'histoire.

Bien sûr, le temps a passé, la vie continue. Chacun a poursuivi son chemin. Mais peu importe ce que sont réellement devenus les protagonistes de cette histoire. On peut imaginer la suite comme on veut. Par exemple, Stéphane est peut-être devenu responsable d'une résidence autonome dans un centre de réadaptation pour personnes déficientes intellectuelles, ou bien il a été remercié à cause de compressions budgétaires et il est aujourd'hui caissier à l'épicerie de Saint-Mathias, le plus gros magasin du village, qui appartient justement à son oncle. Louise Petit a peut-être pu enfin acheter sa librairie ésotérique et elle file le parfait bonheur avec son Antoine, ou bien elle est restée à se morfondre à l'hôpital dans un travail qu'elle exècre, pendant qu'Antoine était promu à un poste important au ministère. Jean-Pierre a peut-être retiré sa caisse de retraite pour s'acheter un voilier de trente-six pieds et s'enfuir dans les Caraïbes, ou bien il a utilisé cet argent pour ouvrir un bureau privé et offrir ses services à un taux horaire de quatre-vingt-cinq dollars. Simone a peut-être gagné le gros lot à la 6/49, ou bien...

Désirée, pour sa part, s'est certainement plongée dans le travail. Non pas pour oublier — il y a des choses qu'on n'oublie pas —, mais plutôt pour continuer d'apprendre, pour améliorer le savoir, pour faire en sorte qu'il y ait de moins en moins de Marie dans le monde.

Et Marie, justement, où est-elle aujourd'hui? Est-elle retournée dans une famille d'accueil? Et si oui, dans quel genre de famille: une famille Fisette ou une famille Breton? Ou devra-t-elle rester internée toute sa vie?

* *
*

Aujourd'hui, le Québec est un des pays les plus avancés du monde sur le plan de la réadaptation. L'intégration, une approche basée sur la volonté d'offrir la vie la plus normale possible à toute personne handicapée, ou plutôt, déficiente, permet à un nombre de plus en plus grand de Québécois de vivre dans des conditions où ils peuvent s'épanouir. Notre façon d'intégrer ces personnes au reste de la société semble si intéressante que nos spécialistes sont reconnus internationalement et invités à partager leur technique et leur savoir-faire avec des intervenants partout dans le monde...

Marie est peut-être née dix ans trop tôt. Ou peut-être le reste de la planète est-il un peu en retard! J'apprenais récemment qu'en mer Égée, l'île de Léros sert de réserve pour les handicapés qui y sont isolés, toutes déficiences confondues. Bien protégés dans notre chaud cocon nord-américain, nous vivons loin de tels abus.

Mais sommes-nous aussi bien protégés qu'on le croit? Si oui, comment expliquer qu'une histoire comme celle de Marie ait pu, et puisse encore se passer chez nous? Peut-être faut-il chercher l'explication du côté du *système* utilisé pour intervenir auprès des gens qui ont des problèmes d'adaptation.

Un directeur de centre d'accueil me disait il y a quelque temps: «Dans le système public, le statut est trois ou quatre fois plus important que les résultats, et les résultats, ça veut dire les bénéficiaires.» Qu'entendait-il par là? Que le statut des individus qui travaillent dans ces centres est plus important que celui des gens qu'ils servent? Que le statut du centre comparé à d'autres centres est la valeur la plus importante? Est-ce là ce qu'on appelle une saine compétition? Quelle que soit la façon dont on interprète ces paroles, elles impliquent qu'il existe quelque part quelque chose qui est plus important que les bénéficiaires. Et ça, c'est inadmissible!

En février 1992, une personne bien placée dans la hiérarchie d'un grand hôpital psychiatrique de Montréal m'expliquait que les patients qui ne se conformaient pas aux directives des infirmières — qu'on devrait plutôt, dans le cas présent, qualifier de «gardes-malades» étaient obligés de porter le pyjama pendant parfois une semaine complète. J'ai beau chercher très fort, je n'arrive pas à comprendre l'effet thérapeutique qu'un tel traitement peut produire.

Au cours de cette rencontre, mon «indicateur» m'affirmait également qu'après quelques brèves années de répit, les électrochocs revenaient en douce au menu dit thérapeutique, plus civilisés, mieux contrôlés, plus efficaces (!), semble-t-il. Je ne pouvais m'empêcher, en l'écoutant de penser à Louise, cette amie de mes vingt ans qui m'avait un soir téléphoné pour me donner rendez-vous dans le parc d'un autre grand hôpital psychiatrique de Montréal. Nous avions passé quelques heures à marcher, la main dans la main, dans ce grand parc tout noir. Ses parents, me confia-t-elle, l'avait fait interner parce qu'elle avait tenté de se suicider. Quand j'ai quitté Louise, elle souriait. Le lendemain, on lui administrait un électrochoc. Quand je l'ai revue, un mois plus tard, elle ne m'a pas reconnu.

Je ne veux pas, malgré les apparences peut-être, faire ici un réquisitoire contre la psychiatrie. J'espère simplement que tous, psychiatres, psychologues, travailleurs sociaux et éducateurs en tête, spécialistes et non-spécialistes, et surtout, surtout, décideurs, nous ne resterons pas insensibles au cas de la petite Marie. J'espère simplement que la triste histoire de cette enfant réveillera en nous ce qu'il y a de plus humain, de plus secret, et que nous nous questionnerons sur notre façon d'agir. J'espère simplement, humblement, que ce récit aura contribué à changer quelque peu l'attitude du lecteur face à l'enfance en difficulté ou, mieux encore, face à l'enfance en général.

Table des matières